百濟

동아시아 대왕 **근초고**

윤영웅

East Asian Great King

Geunchogo

동아시아 대왕 근초고 8

발 행 | 2024년 4월 20일

저 자 | 윤영용

펴낸이 | 한건희

펴낸곳 | 주식회사 부크크

출판사등록 | 2014.07.15.(제2014-16호)

주 소 | 서울특별시 금천구 가산디지털1로 119 SK트윈타워 A동 305호

전 화 | 1670-8316

이메일 | info@bookk.co.kr

ISBN | 979-11-410-8185-0

www.bookk.co.kr

동
아
시
아
대
왕

근초고

윤영용 지음

萬 많은 것들이

복잡했다. 한성백제로 간다. 연희는 그런 여구를 보내기 싫었다. 꿈결 같은 시간이 불과 석 달이었다. 그 사이 대륙백제로 갔던 인화 여왕이 돌아왔다. 한성백제에서는 내신좌평이 바뀌었다. 진의(眞義). 진탄의 둘째 사위이면서 태왕후 하미의 제부였다. 보통 강직한 사람이 아니었다. 그런 진의(眞義)를 대해부가 상단도 예의주시해야 했다. 대륙백제의 상황이 매우 안 좋았다. 선비족 내분은 물론 서쪽 사정이 점점 더 심각했다. 특히, 대륙백제 이남의 상황은 치명적이었다. 태풍이 불어 장강이 벌써 두 번 넘치고 있었다. 대륙에서 가장 큰 곡창지대였다. 유민(流民)

이 넘쳐나고 있었다. 이러면 곧 전쟁이 일어날 것이었다. 모용씨족은 백제에 새로운 제안을 했다. 철제 명도전과 철정을 더 공급해 달라. 해상지원도 부탁했다. 고구려의 뒤를 쳐달라는 말이었다. 모용외의 뒤를 이은 대칸 모용황은 연나라를 일으키고 이제 고구려와 일전을 치르려 하고 있었다. 대전쟁의 바람이 대륙 북부에 불고 있었다. 그런데 야마다 여왕 인화가 험한 바닷길에 심신이 피곤해져서 병이 났다. 여왕이 시름시름 앓기 시작했다.

대륙이 흔들리면 한성백제도 열도도 매우 급해진다―

여구가 정국을 살피기 위해 한성백제로 가겠다고 했다. 연희는 말릴 수가 없었다. 이제 여구의 시대였다. 대해부가의 행수이자 야마다의 천인(天人)을 여구가 계승했다. 대해부가의 호패에 새로운 이름, 위남구나(倭男具那)라 적었다. 훗날 일본무존(日本武尊)으로 불리게 되는 전설이 시작되는 이름이었다.

"인사를 올립니다."
"어… 어서 오시게…"

비류왕이 대해부가의 행수 위남구나(倭男具那) 여구를 맞이

했다. 공식적인 자리였다. 하고 싶은 말을 할 수가 없었다. 그러나 비류왕은 알고 있었다. 여구다. 대해부가 데리고 온 여구였다. 역시 살아 있었다. 자신의 아들… 아들이면서도 아들이라 차마 말하지 못하는 아들이었다. 그렇게 여구를 만나고 비류왕은 하루를 들떠서 보냈다. 은밀하게 내신좌평에게 일렀다. 저녁에 내신좌평과 대해부가의 행수, 그렇게 셋이서만 자리를 마련하라. 열도와 한성백제가 은밀하게 상의할 일들이 있다고 했다.

왕비 하료는 여구가 대해부가의 행수로 궁궐에 들어오자 기분이 묘해졌다. 내신좌평 진의의 일로 상심이 큰 상태였다. 세 명을 추천하면서 가장 강하게 민 사람이 진의였다. 왕비 하료 자신이 강하게 추천하면 비류왕이 제일 먼저 버릴 것으로 생각했다. 예상은 보기 좋게 어긋났다. 왕비 하료는 동생 진하이를 보내 진의를 여러 번 꼬였다. 그런데 진의는 꿈쩍도 하지 않았다. 그래서 세 번이나 직접 불렀다. 거래하고자 했다. 진의는 역시 자신은 미천하다며 고사했다. 관직 자체를 거부했다. 그런 진의이기에 자신의 처소에 세 번이나 은밀히 부르고 비류왕 사람들이 이를 빤히 눈치 채도록 했는데도 비류왕이 덜컥 진의를 내신좌평에 앉혀버렸다. 그리고 내신좌평 진의를 비류왕 여호기는 진심으로 신뢰하는 것 같았다. 그래서 왕비 하료는 다른 사람에게 심어놓은 복심도 잃고 여호기에게 역 패를 꺼내 준 꼴이 되었다. 진의 집에 암행도 자주 가는 듯 했다. 왕비 하료는 태왕후 하미의 제부인 진의가 내신좌평이 되므로 인해 오히려 비류왕 여호기를 어찌할 수 없는 상태가 되었다. 진의는 백제 귀족회의 의장으로서 분서왕의 적자인 여설거 왕자에게 비류왕 의 후계권을 줄 가능성이 매우 컸다. 태자 걸걸의 열도에서의 행동에 대해 가장 비판이 강했던 사람 중의 하나였다.

그가 왔다―

진하연은 대해부가 상단 내에 자신에게 알려줄 소식통을 대 고 있었다. 예상대로 왔다. 여구였다. 대해부가의 신임 행수, 위 남구나(倭男具那)는 바로 여구였다. 진하연은 그가 고마궁에 들 어갔다고 하자 바로 내신좌평 진의의 집으로 향했다. 진의는 진 하연의 형부이기도 했다. 막내 처제 진하연은 왕비족 진씨가의 유명한 걸물이었다. 진하연이 해질 무렵 왜 찾아왔는지 진의는 이유를 몰라 당황했다. 왕이 암행을 오시기로 했다. 그런데 진 하연이 먼저 들이닥쳤다. 하연이 어렸을 적 학문을 가르쳐준 바 있었던 진의는 진하연에게 나서지 말라고 이를 참이었다.

"알겠느냐? 오늘은…"
"오늘은요? 매우 중요한 약속이 있으시나요?"

"네가 그걸 어찌."

"그런 일쯤도 모르고 어찌 백제 제일 지녀라는 소리를 듣겠습니까?"

진하연은 지금 다 알고 왔다고 진의(眞義)를 압박하고 있었다. 그러나 내신좌평 진의는 입도 마음도 무거운 사람이었다.

"그래도 오늘은 안 된다. 다들 물러나 있어야 한다."

"아니다. 그럴 필요가 없을 것 같다."

그때 왔다. 비류왕 여호기가 해가 떨어지기도 전에 급히 왔다. 그래서 진하연을 보게 되었다. 비류왕 여호기는 잘됐다 싶었다. 진하연은 여구를 잘 안다. 같이 있으면 자리가 훨씬 부드러워질 것 같았다. 다들 비류왕을 알아보고 고개를 숙였다. 진하연에게 비류왕이 말했다. 진의(眞義) 더러 들으라고 하는 말 같았다.

"오늘은 더 예뻐진 것 같구나. 누굴 만나러 온 것이냐?"

"아… 아닙니다. 누구를 만나러 온 것이…"

"그러냐… 내 만나러 왔다면 같이 보려 했는데… 어떠냐? 만나러 온 것이냐?"

농담하고 있었다. 비류왕 여호기가. 그런 두 사람을 보면서 진의(眞義)는 다소 의아해졌다. 다정한 그 모습이 마치 부녀지간 같았다. 아니나 다를까 마치 짠 것처럼 막내 처제 진하연이 대답했다.

"만나러 온 것으로 해야겠지요? 예. 만나러 왔습니다."
"거참. 부끄럼도 없구나?"
"폐하께서 그리 만드셨습니다. 하도 골려서 이리됐습니다."
"하하하. 그래그래. 좋다. 좋아."

그렇게 자리를 같이했다. 여구와 약속한 시간보다 한 시진이 더 빨랐다. 진의는 그것이 더 이상했다. 왕이 더 먼저 왔다. 한 시진이나 왕이 기다린다. 좀 더 빨리 오라고 기별을 넣으려 했으나 비류왕이 막았다. 절대 그리하지 마라. 단호했다. 그리고 먼저 술 한 잔을 기울였다. 어딘지 조급해 보였다.

여구가 왔다-

그가 왔다. 진하연은 심장이 쿵쾅쿵쾅 뛰었다. 눈짓만 먼저 하고 자리를 함께했다. 비류왕 여호기와 내신좌평 진의, 그리고 여구와 하연은 그렇게 함께 자리하고 술상을 받았다.

"한잔하시게…"

왕이 내신좌평보다 여구에게 먼저 잔을 권했다. 다들 왕의 명이라 어쩌지 못하고 여구는 왕의 앞으로 나아가 잔을 받았다. 잔을 건네고 왕이 술을 따랐다. 술을 따른 왕은 한참 생각에 잠긴 듯 했다. 잠시 어색한 기운이 흘렀다. 여구도 잔을 들고만 있었다. 먼저 먹으라는 것인지, 어떻게 하라는 것인지 몰랐다. 주법도 예법도 다 무너진 그 침묵이 어색했다. 여구도 비류왕도 그런 감정이었다. 아비를 아비라 부르지 못하는 아들. 아들을 아들이라 부르지 못하는 아비. 그 둘의 이상한 자리였다. 그 사이에 진의와 진하연도 끼어 술자리는 더욱 얼쯤 해졌다.

"먼 길이지만… 그래도 자주 못 오셨으니 왕께서 벌주를 내리신 것 같습니다."

하연이 발로 여구를 살짝 건드렸다. 마셔요. 그런 뜻이다. 그래야 이 어색한 주법과 예법이 바로 될 것 같았다. 여구가 하연의 의도를 알아챘다. 예. 벌주라고 생각하고 마시겠습니다. 자주 뵙도록 하겠습니다. 그리 말하고 진하연에게 인사를 하듯 고개를 *끄덕*이고 한 잔 주욱- 마셨다. 아비가 준 첫 먹을 것이었다. 비류왕은 그제야 정신을 차릴 수 있었다. 몸도 마음도 추슬렀다. 백제의 왕이 아닌가. 아들 앞에서 더더욱 약한 모습을 보일 수 없었다. 전부 잔을 들게 했다. 잔이 한, 세 순배 돌고 나니 다소 부드러워졌다. 역시 분위기는 진하연이 다 풀고 있었다. 여구가 어떻게 살았는지 비류왕 대신 궁금했던 핵심부터 물어갔다.

"그래 어찌 목숨을 건지게 되었던 건가요?"
"그게 다 진 소저 덕분입니다."
"예? 제가 곤경에 처하게 했는데… 그게 무슨 말씀이신지…"
"보호대를 기억하십니까?"
"아, 예…"
"왜. 그 보호대가 그대를 구했는가?"

내신좌평 진의는 이게 무슨 소리인가 했다. 비류왕도 그 얘기를 알고 있었다. 비류왕이 대해부가 행수의 일을 속속들이 알고 있는 이유가 진의는 궁금했다. 나중에 하연에게 물어봐야겠다고 생각했다.

"아, 표창을 맞았다고 했는데… 어? 그 보호대는 깨버렸잖습니까?"

"예. 깨버렸지요. 그 대신 새것을 만들고 실험을 하고 있었습니다. 이렇게…"

여구가 가슴을 풀었다. 그리고 작은 보호대를 꺼냈다. 여구가 말했다. 왕께 바치려고 가져왔다고 했다. 그 보호대. 천으로 속을 잘 감싼 보호대는 가볍고 튼실해 보였다. 아교풀을 먹였다고 했다. 가벼운 삼나무로 결을 교차해 다섯 겹을 만들면서 풀과 천이 붙어 웬만한 칼로는 쉽게 베어지지 않는다고 했다. 그 실험을 하던 중이라 살 수 있었다고 했다. 그 보호대는 가벼운 나무 소재니 물에 빠졌을 때에도 임시방편 노릇을 했다고 했다. 그 덕분에 재구가 자신을 구할 수 있었다고 했다.

진하연 덕분에 살아난 것이라고 말하며 환한 미소로 감사를 표했다. 그리고 이것을 백제에 바치겠다고 했다. 하급병사들의 목숨을 지킬 수 있다고 했다. 또 이 방식을 잘 활용하면 쇠 갑옷은 아니더라도 가볍고 튼튼한 하급 병사들의 갑옷과 군마의 갑주를 만들 수 있을 것으로 생각해 이를 야마다에서 깊이 연구하도록 명하고 왔다고 했다.

비류왕 여호기는 보호대를 받아서 매만지며 보았다. 가슴에 대어보고 좋아했다. 이것이 아들을 구한 것이었다. 내신좌평에게 즉시 이를 받아들이도록 했다. 열도 대해부가의 군수 물품으로 하고, 백제 하급병사들에게 보급하라고 했다. 진의는 그렇게 하겠다고 했다. 진의는 이 사내, 여구가 보통 사람이 아니라는 것과 또 비류왕과 평범한 관계가 아님을 알았다.

"그래? 대륙백제에 가겠다고?"
"예. 상황도 보아야 할 것 같습니다. 대륙의 바람이 열도에서 큰 폭풍이 될 수도 있습니다."
"한성백제는 어찌 될 것 같은가?"
"한성백제로 신라와 가야, 그리고 고구려가 움직일 수도 있습니다. 면밀하게 다 검토하셔야 할 것입니다."
"대륙의 상황이… 열도가 그렇다면…"

위기다. 열도 북쪽에 고구려 무인들이 속속 도착하고 있었다. 대해부가가 여강과 여구의 암살에 대해서 백제 왕비 하료를 의심하면서도 어쩔 수 없었던 이유가 바로 고구려 무사들이 열도 북쪽에 포진하고 호시탐탐 노리고 있었기 때문이었다. 그러한 시기에 고구려 조의 선인 자객들이 연희공주를 노리고 여강과 여구를 죽였으니 야마다는 그 빌미로 단결할 수 있었다. 그래서 백제와의 호혜적인 상황이 유지된 것이다. 고구려의 열도 남하 계획이 노출되고 있었다. 고구려 세력은 부여계 의라왕이 차지한 동북 열도와 신라 세력과 합치려 하고 있었다. 열도의 상황이 심상치 않았다.

"뒤를 칠 계획이겠군요."

진하연이 고구려의 의도를 순간적으로 간파했다. 열도를 위협하고 열도를 통일한 후에 이를 통해 한성백제의 뒤를 친다. 대륙백제는 모용황과 함께 고립될 것이다. 더불어 단숨에 한성백제를 무너뜨리겠다. 신라도 가야도 아직은 그럴 힘이 없었다. 그러나 고구려는 다르다. 고구려가 나서면 달라질 것이다. 비류왕도 그리 생각했다. 내해(內海) 전역이 피바다가 될 것으로 예견되자 비류왕은 여구에게 특명을 내렸다.

"자네가 백제 태사자가 되어서 연나라 대칸 모용황을 만나게."

태사자? 백제의? 진의는 도대체 비류왕의 의도를 알 수가 없었다. 어찌 대해부가의 행수이자 천인에게 왕의 특명을 받는 태사자를 명한다는 말인가? 이에 놀란 것은 진하연도 마찬가지였다. 여구에 대한 관심이 많은 것은 알고 있었지만 이런 파격은 있을 수 없었다. 그러나 비류왕은 밀어붙였다. 내신좌평 진의는 왕명을 받았다. 내일 당장 품신을 해야 했다. 대륙의 상황과 열도의 상황이 급박해 왕이 비상특명을 태사자에게 내리는 것으로 해야겠다고 정리했다. 열도와 대륙. 협상권을 가진 태사자에 대해부가의 신임행수가 임명된다는 것에 내신좌평 진의는 중신들의 반발이 만만치 않을 것임을 알고 있었다.

"여기 진하연도 데리고 가게…"

진하연도. 또 다들 놀랐다. 대륙 북부까지 진하연을 데리고 가라 했다. 그래서 정세를 분석해 오라고 했다. 많은 도움이 될 것이야. 그런 얘기였다. 진하연은 괜히 설레었다. 대륙 구경은 물론 멀리 연나라 수도 대극성과 화룡성까지도 가본다. 그보다도 여구와 함께 라는 사실이 진하연을 들뜨게 했다. 그런 진하연에게 비류왕이 또 농을 건넸다.

"그게 그리도 좋으냐?"
"예?"
"내가 너를 태사자의 보좌로 한시도 서로 떨어지지 못하게 할 것이니… 그리 알고 준비하거라!"

진하연은 그 말이 무슨 뜻인지 안다. 한시도 떨어지지 마라. 왕명으로 그리하겠다고 했다. 안타깝게 기다린 사람 여구. 그 마음을 비류왕은 알고 있었다. 자신이 그리 기다렸으므로 진하연의 마음을 알았다. 그러나 여구는 이게 도대체 어찌 된 일이고 무슨 말인지 모른다. 다만 자신의 아비. 비류왕이 그렇게 하라고 했다. 백제를 대표하라고 했다. 비류왕이 자신의 정체를 알고 있음이 분명하다.

萬 많은 것들이
往 가고
萬 수 없는 것들이
來 온다

用 쓰이고
變 변하는 것이
不 아니
動 움직이는
本 근본이다

往 가고

밤이 너무 늦었다. 진하연을 내실로 보내야 했다. 진의도 자리를 떴다. 비류왕은 오늘 대취했다. 진의의 집에서 술을 더 마시고 잠을 자고 가겠다고 했다. 내일 아침에 어가를 준비하라고 했다. 진의는 진하연과 함께 잠시 술자리를 나왔다. 진하연은 진의에게 천천히 들어가라 했다. 아니 들어가지 말라 했다. 그것이 좋겠다고 말했다. 내신좌평 진의는 그 말뜻이 무슨 의미가 있는지는 모르지만 나쁘지 않다고 생각했다. 비류왕과 여구. 두 사람에게 뭔가 깊은 사연이 있는 것 같았다. 별채의 주변을 모두 물러나게 했다. 호위들도 약간 거리를 띄우게 했다. 소리가 밖으로 새지 못하게 한 것이다. 그리고 자기가 별채 앞에 있었다. 드문드문 두 사람의 소리가 들렸다.

근자부―

여구는 근자부가 전해 달라는 소식을 가져왔다. 비류왕 여호기는 지극한 눈빛으로 근자부와 만났다는 여구를 보고 있었다.

"전하라 하셨습니다. 조심하라 하셨습니다."
"그리 말씀하셨느냐?"
"예. 제게 마마를 잘 보필하라 하셨습니다."
"다른 애기는 없더냐…"
"…?"

그리고 왕이 휘청거렸다. 여구가 재빨리 왕을 부축했다. 많이 마셨다. 오늘 정말 많이 마셨다. 근자에 이렇게 대취한 적은 없었다. 비류왕 여호기는 원래 술이 약했다. 그런데 한동안 술 마실 일도 없었다. 술이 싫었다. 술을 마시면 선화와 아들을 잃은 분노가 치밀어 올랐다. 그런데 오늘은 달랐다. 오늘만은 취하고 싶었다.

"괜찮으십니까?"

이 말. 여구가 부축하자 비류왕은 더 약해졌다. 괜찮으냐는 말에 비류왕은 몸을 쓰러뜨렸다. 여구를 와락 껴안았다.

"내가… 내가… 괜찮겠느냐? 내 아들… 내가 널 몰라보고… 네 어미를 죽게 했는데… 괜찮겠느냐? 내가 너를 얼마나 기다렸는지 아느냐? 천기령. 그 산을 다 찾아 헤맨 것을 너는 아느냐?"

비류왕은 울었다. 알고 있다. 아비가 아들임을 알고 있었다. 찾아 헤맸다고 했다. 아느냐고 했다. 아비가 얼마나 찾았는지 아느냐고 했다. 여구의 눈에서도 눈물이 흘렀다. 비류왕은 아들 여구를 부둥켜안고 서럽게 오랫동안 울었다. 그리고 절규했다.

"아비라 부르라. 너는 내 아들이다. 이 비류왕의 아들이다. 이제 모든 것을 다 잃어도 너를 잃지는 않을 것이다. 다 줘버려도 널 잃지는 않을 것이다."

둘은 그렇게 서럽게 울고 있었다. 비류왕은 왕비 하료를 걱정했다. 여구가 살아 돌아와도 또 죽이려 할 것에 대해 염려했다. 이를 위해 장치를 해야 했다. 여구가 사라진 뒤 바로 시작되었다. 내신좌평 진의도 계획의 일환이었다. 오늘 진의는 많은 생각을 해야 할 것이었다. 내신좌평 진의는 호위를 물리치고 자신은 비류왕과 여구의 얘기를 조금씩 듣고 있었다. 그리고 경악을 금치 못했다. 비류왕의 또 다른 아들. 그 아들이 있었다. 정말 극비의 정보로 알려졌었던 야마다 비미호 여왕과의 사이에서 난 아들이 바로 저 여구였다. 비류왕과 여구의 관계. 아무도 모르는 비밀을 알게 된 진의는 머리가 지끈거렸다.

비류왕은 술에 너무 취했다. 바로 옆 자리에 있던 침소에서 잠이 들었다. 여구는 그런 왕을 지켜야 했다. 왕이 아닌 아비였다. 오늘 밤 비류왕 여호기는 그렇게 여구의 가슴에 심어졌다. 아비. 업. 씨앗이요. 계통이다. 아무리 바꾸어도 바꿀 수 없는 닮음이다. 특히, 여호기와 여구는 닮았다. 왕비 하료도. 근자부도. 대천관 신녀도 다 한눈에 알아볼 수 있는 유사함이 있었다. 얼굴도 품성도 그랬다. 그렇듯 씨줄을 통해 같은 시대에 비슷한 경우로 태어나는 부자(父子)는 해야 할 일이 많은 사람이다. 그 가계(家系) 조상 대대로 이어져 온 그 일에서 해야 할 큰일이 많으면 그리도 닮은 부자가 나온다고 한다. 부친은 길을 닦고 아들은 그 길에서 뜻을 마음껏 펼친다. 그런 의미를 비류왕 여호기 부자는 알까? 그래서 비류왕에게서부터 절대무왕 근초고 대왕의 시대가 시작하는 것이다. 천륜으로 오늘 밤, 평생 처음

아들은 아버지를, 아버지는 아들의 손을 붙잡고 밤을 함께 보낸다.

당분간이다. 당분간 네가 왕자인 것을 숨겨라―

한성백제에서 여구의 신분을 아는 사람은 비류왕과 비류왕이 의도적으로 흘린 내신좌평 진의뿐이었다. 진의(眞義)는 여구가 제2의 왕자라는 것을 알고 있었다. 다만 다른 이들이 눈치 못 채도록 알맞은 대우를 해야 했다. 또한 진하연을 통해 들은 바 대로 왕비 하료의 음모도 막아야 했다. 여구의 무예 수준도 몰랐다. 호위 문제도 있었다. 그런데 여구는 태사자 지위만을 달라고 했다. 그 일에 내신좌평 진의가 팔을 걷어붙였다.

태사자로 천거합니다―

내신좌평 진의(眞義)가 미쳤다고 중신들은 생각했다. 대해부가의 행수에게 백제의 협상권을 맡긴다? 도무지 말도 안 되는 일이라고 했다. 그런데 두 사람이 찬성하는 바람에 소란은 곧 잠잠해졌다. 하나는 대천관 신녀였다. 그리고 또 하나가 비류왕이었다. 비류왕은 대찬성이었다. 열도가 아무리 중요하다고 해도… 이런 일은 있을 수 없습니다. 진하이(辰河夷)의 반대가 심했다. 설귀 병관좌평도 마찬가지였다. 그런데 비류왕이 비상특명을 이미 준비했다고 했다. 대천관도 좋은 생각이시라고 했다. 그러자 비류왕이 중신들에게 더 반대하면 왕명을 어긴 것이라고 밀어붙였다. 감히 왕을 능멸하려느냐? 강하게 입을 막았다. 그러자 다들 왕자 여설거를 보았다. 왕자 여설거는 이 일에서 한 발 뺐다. 왕비 하료와 비류왕이 드디어 정면으로 충돌한다고 생각했다. 새롭게 등장한 위남구나 행수에 대해서는 흑천 서위를 불러 알아볼 참이었다. 이 알 수 없는 일에는 끼지 않는 것이 좋을 것이다. 비류왕의 명을 따르겠다고 했다. 그래서 여구는 백제의 태사자가 될 수 있었다.

잘 다녀오너라—

다정히 배웅을 했다. 왕비 하료가 보고 있는 데서 그렇게 당당히 백제 태사자로 임명하고 밀지를 내리고 대륙백제로 보냈다. 중신들은 그런 비류왕을 보며 당황했다. 왕비 하료는 기가 막혔다. 드디어 비류왕이 칼을 꺼냈다고 생각했다. 그리고 비류왕은 착수했다. 모든 것을 다 버리리라. 그렇게 마음먹었다. 대천관 신녀를 은밀히 불렀다.

"신녀께서 하셔야 할 일들을 지금 하시겠습니까?"

"예. 이제 때가 된 것 같습니다."

"그럼. 저도 진행하겠습니다."

비류왕은 왕자 여설거를 따로 불렀다. 태자의 동태를 살펴라. 왕비 하료가 비류왕 자신을 위해(危害) 할 수 있다고 비류왕은 말했다. 그 얘기를 듣게 되자 설거 왕자는 태자 걸걸과 비류왕과의 사이에 피가 흘러야 한다고 생각했다. 그래서 본격적으로 태자에게 계략을 쓰기로 했다. 흑천 서위에게 밀명을 보냈다. 태자 걸걸은 이제 열도가 차츰 지겨워졌다. 너무 오래 열도에 머무른 것이다. 이국의 여인이 좋은 것도 한두 번이고 수십 번이지 이제 한성백제가 그리워졌다. 태자 걸걸은 어머니인 하료에게 열도 일은 잘 정리가 되고 있으니 한성백제로 돌아가게 해달라고 했다.

"왕비께서는 아직은 아니라 하셨다고 합니다. 곧 한성백제에 피바람이 불 것이니 그 이후에 오는 것이 좋겠다고 했습니다."

피바람. 흑천 서위에게 왕자 여설거는 한성백제에 피바람이 불 것이라고 했다. 이는 암시였다. 태자를 이용하겠다는 뜻이었다. 드디어 흑천이 움직이기 시작한다. 그 움직임의 핵심에는 왕비 하료가 있었다.

흑천각에 어둠이 짙게 깔리고 있었다. 누군가 아주 귀한 사람인 듯 했다. 흑천을 찾아왔다. 왕비 하료였다. 하료는 즉시 흑천의 내실로 안내되었다. 흑천의 내실. 주렴 뒤에는 우복이 있었다. 하료가 면사를 쓰고 왔다. 그러나 우복은 한눈에 알아봤다. 참으로 오랜만에 보는 벗인 듯 반가운 마음마저 들었다. 그러나 자신의 정체를 먼저 알릴 수는 없었다. 자신은 죽은 것으로 되어 있었다.

"무엇을 찾으러 오셨습니까? 왕비 마마-"

대단하다. 자신의 정체를 밝히지도 않았는데 왕비인 것을 알고 있었다. 왕비 하료는 이제 흑천을 움직일 때라고 생각했다. 하료는 알고 있었다. 비류왕 여호기의 태도로. 백제 태사자로 대해부가의 행수가 임명되고 그 보좌로 진하연이 임명되는 그 순간에 확신이 들었다. 여구다. 여강이 아니었다. 여구가 맞다. 여호기와 똑 닮은 여구가 바로 선화의 아들이요. 비류왕의 아들이었다. 일이 다시 벌어졌다. 하료는 온몸의 피가 거꾸로 솟는 듯 했다. 지금 이 위기를 이겨야 했다. 백제 대천관 신녀는 비류왕 여호기 편이다. 왕비 하료가 믿을 곳으로 흑천이 필요했다. 흑천과 거래를 해야 했다.

흑천의 주인인가─

예. 짧게 대답했다. 우복은 흑천신공(黑天神功)으로 목소리가 두 개다. 목소리가 탁하고 갈라져 신비로움을 더 했다. 저 지옥 무저갱에서 흘러나오는 소리 같았다.

거래하자─

왕비 하료는 단도직입적으로 들이댔다. 백제 차기 왕권을 위해 흑천과 왕비가 거래를 하고자 했다. 그 조건은 무엇이든 들어주겠다고 했다. 흑천주(黑天主)는 우복이다. 왕비 하료의 성격과 품성을 너무도 잘 알고 있었다. 그런 하료의 거래 제의는 흑천에게 있어서도 또한 왕자 여설거에게 있어서도 전혀 불리한 일이 아니다. 거래를 많이 하면 할수록 좋았다.

밀약을 맺기로 했다─

흑천주 우복의 계략이었다. 하료를 붙잡아야 했다. 도망치지 못하게 해야 했다. 그래야 더 이용할 수 있었다. 흑천의 비기를 쓰기로 했다. 하료는 고급 미약에 빠진다. 그 옛날 하료가 우복에게 했던 것처럼 흑천주 우복은 하료에게 약을 썼다. 미혼약에 빠진 하료는 흑천주 우복인 줄도 모르고 자신의 심기를 잃어버린다.

"그 아이를 왕자로 할 것입니까?"

대놓고 싸우고 있었다. 아니 싸움을 걸었다. 비류왕에게 선화와 아들 이야기를 들이댔다. 왕비 하료는 그런 인물이다. 정공법이다. 자신은 흑천을 얻었다. 흑천주와의 거래는 태자 또는 왕자 걸서로 백제 왕실 후계를 잇는 것이었다. 이제 비류왕을 압박해야 했다. 정국의 위기를 빗대서 대놓고 태자를 부르라고 했다. 그 아이는 절대 왕자로 받아들일 수 없다고 했다. 비류왕은 고민했다. 아니 고민하는 것 같았다. 그리고 아주 천천히 말했다. 태자를 후계로 결정하려면 여구를 왕자로 받아들이라 했다. 그렇게 비류왕도 미끼를 던졌다. 왕비 하료의 고민이 시작되었다.

새로운 왕자-

문제는 여설거였다. 태자에게 후사를 확정 지어 놓으면, 그것으로 끝이다. 이런 생각이 설거를 급하게 했다. 설거는 자신의 계획을 빠르고 간결하게 이루어야 한다고 생각했다.

　대륙백제의 최고 실력자─

　분서왕의 태자였던 여설리 대륙백제 좌장이 여구를 다시 보게 되었다. 여구. 그 여구였다. 연희. 자신의 딸인 야마다의 차기 여왕이 마음에 품은 사내였다. 설리는 비류왕 여호기의 정적이었다. 여구가 여호기의 젊은 날과 너무 닮아 있었다. 여구는 급히 설리를 만났다. 백제 비류왕의 왕명을 가지고 자신의 딸 연희의 남자가 찾아온 것이다. 백제의 태사자로서.

　"그리하겠다. 왕께서 명하신 그대로 다 지원하겠다. 그러나 내 반드시 너에게 물을 것이 있다. 대답하겠느냐?"
　"예. 그리하겠습니다."
　"야마다는 어찌 될 것 같으냐?"
　"열도를 평정하는 백제의 왕조가 될 것입니다."
　"대륙은 어찌 될 것 같으냐? 백제는 어찌해야 하느냐?"
　"연나라와 손잡고 고구려를 견제하는 동시에 남행할 것입니다. 그래서 내해를 진정한 내해로 만들 것입니다."
　"지금 백제로 가능하겠느냐?"
　"지금이 아니면 다음, 다음이 아니면 그 다음에라도 그리할 것입니다. 내해는 우리 백제의 핏줄을 잇는 바다입니다."

"그렇게 되겠느냐?"

"그리될 것입니다. 이것이 소서노 모태후의 유훈입니다."

"그걸 네가 어찌 아느냐?"

"보았습니다. 흑천의 비기를 보았습니다. 거기 백가제해. 내해를 통해 밝달 환국. 큰 나라를 세우려 하신 소서노 모태후의 꿈을 보았습니다."

"그래. 나도 보았다. 할아버지 고이왕께서도 책계왕께서도 그 꿈을 보았다. 그러나 이루지 못했다. 이루려 했으나 이루지 못했다. 그런 것이다. 이루려 하면 이루어지지 않는다. 얻으려 하면 얻어지지 않는다. 나는 계속 얻으려 했으나 다 잃고 말았구나."

설리 대륙백제 좌장은 그리 말했다. 고이왕도 책계왕도 그 꿈을 꾸어왔다. 내해(內海)를 진정한 내해로 만들기 위해 그러나 이루는 방법에서 한계가 있었다. 바닷길 편도로 보름, 왕복 한 달은 너무도 길었다. 다른 방법이 있어야 했다. 대륙을 다스리고 반도와 열도를 통일시킬 수 있는 새로운 시대가 열려야 했다.

설리는 알고 있었다―

여구가 이미 철제 명도전으로 한성백제를 연나라 화폐와 내해 화폐 발행의 중심이 되게 한 것을. 그 옛날 단군조선의 청동 화폐를 가지고 새로운 철기시대 화폐를 만들었다. 그렇게 새 시대를 열려고 하는 의지를 보았다. 그 여구. 설리는 자신이 가슴 아프게 예뻐하는 연희의 남자로 보고 있었다. 큰 꿈을 가진 대기(大器)로 보고 천하를 논하고 있었다. 이 논의가 여구에게서 이루어지기를 설리는 바랐다. 통일 열도의 첫 여왕이 바로 자신의 딸이기를 원했다.

대륙은 한성백제와 달리 그 인물들의 수명(壽命)이 짧았다. 병이 빨리 들기도 했다. 물 탓이라고도 했다. 땅 지기(地氣)가 다르다고도 했다. 그래서 산천이 좋았던 한(韓) 반도는 신선동이었다. 신선들이 사는 땅. 그 이유로 한성백제에 백제의 중심이 있었던 것이다. 밝달 환국이 그랬던 것처럼.

萬 많은 것들이
往 가고
萬 수 없는 것들이
來 온다

用 쓰이고
變 변하는 것이
不 아니
動 움직이는
本 근본이다

萬 수 없는 것들이

대극성(大極城). 그 옛날 치우천왕이 대륙을 경영하던 곳. 지금은 연(燕)나라의 수도다. 여구는 대륙백제 위례성에서 요서 일원을 돌아 대극성에 도착하려 일정을 잡았다. 요서 전체의 정세를 살피기 위함이었다. 백성의 피해가 심각했다. 민폐(民弊)다. 집을 잃고 떠돌아야 하는 유민(流民), 나라를 잃고 흘러다녀야 하는 유민(遺民)들이 많아졌다. 국가는 무엇인가. 울타리다. 혹(或)은, 혹시(或是)가 큰 울타리를 얻으면 나라(國)다. 또, 생기는 것이다. 나라는 멈추지 않는다. 괴이쩍어하고 의심하는 미혹(迷惑)한 것들이 그 나라 국자 안에 있다. 나라(域)들이

성(城)들이 국(國) 안에 있다. 국민(國民)은 그래서 서러움을 가진 민의(民意)를 담고 있다. 백성의 서러움이 이제 더 커질 시기가 다가오고 있었다.

내해(內海)를 통해 그 눈물을 닦아 주어야 한다. 이쪽과 저쪽, 고구려와 선비, 그런 싸움이 아니다. 하늘이다. 가뭄과 홍수, 가난 때문에 서로 침탈하게 하는 천재지변을 극복하며 내해 (內海) 일원 전체가 안녕할 수 있는 나라. 백제국(百濟國)을 꿈꿔본다. 여구는 그런 마음으로 요서 일원을 돌아서 천천히 모용황이 있는 대극성으로 향했다. 이번 연나라행은 무조건 성공해야 한다.

성공—

할 수밖에 없었다. 모용황이 급했다. 고구려 미천왕이 대극성을 치려했다. 고구려와 선비족 선우부족이 연합했다. 모용황의 동생 모용인이 요하 하구에 있던 평곽성에서 연나라 모용황 대칸에게 반란을 일으켰다. 모용황의 군대는 현재 모용인과 대치 중인 상태였다. 내분이다. 요서를 돌면서 여구는 주변국 상황에 대해 다 파악하고 있었다. 상황파악에서 진하연의 도움도 무척 컸다. 진하연은 통찰력이 있었다. 세상의 속사정을 아주 잘 읽었다. 고구려가 움직일 수도 있었다. 진하연은 고구려보다 조(趙)나라를 더 염려했다. 연(燕)나라의 배후였다. 연나라를 치려는 고구려는 조(趙)나라의 왕인 석륵(石勒)을 움직일 것이라 했다. 거기 대륙백제와 열도의 묘수가 숨어 있었다.

객점에서는-

진하연은 여구에 대해서 더 많이 알고 싶어 했다. 여구를 의식하는 행동이 저도 모르게 나왔다. 비류왕의 명을 구실로 한시도 떨어지려 하지 않았다. 여구 또한 그런 진하연을 외면하지 않았다. 아니 외면할 수가 없었다. 그런 여구를 진하연이 노렸다. 왕비 하료와 진하연은 닮은 구석이 많았다. 다만 진하연은 하료와 달리 독점하려고 하지 않았다. 독점할 수 있는 구조가 아니었다. 진하연은 연희와 여구의 사이를 알고 있었다. 둘의 관계를 알면서 자신의 마음도 그 관계 속에 함께 하길 원했다. 그러기에 애초부터 독점할 수 있는 사람이 아니라고 마음에서 놓아 주었다.

대능하, 요하 강을 건너면서 객점에 머물렀다. 호위 무사와 짐꾼 일행까지 다 합해도 겨우 오십 명이었다. 대극성으로 향한 대백제의 태사자 일행이라고 볼 수가 없었다. 일행이 머물던 객점에 도적들이 덮쳤다.

"다 내놔야 할 것이다."

수염이 온통 얼굴을 뒤덮은 도적의 두목은 으름장을 놓았다. 자신을 대능하 부여국의 장수 여각이라 했다. 아마도 부여의 잔군(殘軍)들이 도적 떼를 이룬 것 같았다. 도적의 수는 순식간에 이백 명을 넘고 있었다. 꼴을 보니 수백 명은 족히 될 듯싶었다. 여구의 일행은 망자의 섬에서 함께 데리고 나온 백 명의 은자 중에서 정예 십여 명과 일반 짐꾼들뿐이었다. 진하연은 긴장했다. 그런 진하연을 위해 여구가 안심하라고 눈짓을 보냈다.

은자(隱者)들의 비술—

순식간에 도적의 맨 앞에 있던 수뢰들을 다 제압했다. 하나하나 초절정 고수들이 바로 망자의 섬에서 온 은자(隱者)들이었다. 그들의 무예를 눈이 따라갈 수가 없었다. 도적의 수괴인 여각이 나섰다. 은자(隱者) 하나가 상대했다. 쉽지 않았다. 그자의 말대로 부여국의 장수출신이 맞는 듯 했다. 제대로 무술을 배운 자였다. 한눈에 여구가 여각을 알아봤다. 덩치는 산만한 것이 칼을 돌리는 재주가 보통이 아니었다. 여구가 보기에 그는 부여

의 군장 무예 수준으로 고수였다. 은자에게 비키라 했다. 여각
과 여구 단둘이 겨루었다. 한순간이었다. 태을검법을 종횡으로
썼다. 눈부신 칼 놀림에 여각은 휘청했다. 어느 틈에 칼 하나가
여각의 목에 걸쳐 있었다. 순식간에 벌어진 일이었다. 여각이
이제 죽었다고 생각한 순간, 그때였다.

"나랑 거래하자."

"…?"

"여각이라 했나?"

"그…그렇다."

"여기 인근에 부여 유민이 어느 정도나 되나? 다른 도적들도
포함해서…"

"수천 명 아니 요하 일대에 수만 명은 될 것이다."

과시만은 아니었다. 이 전쟁터에서 떠돌아야 하는 유민은 많
았다. 그들은 도적이 되기도 했다. 상단을 습격하면 한동안 먹
을거리가 됐다. 살 수 있었다. 그런 유민들의 숫자를 여구는 물
었다. 그 숫자는 물론 유민들이 무얼 먹고 살며, 어떻게들 사는
지… 칼과 온갖 무기를 든 도적들과 그 도적들 괴수의 목에 칼
을 걸어놓고 여구가 도적 괴수 여각에 묻는 말이 흔한 풍경은
아니었다. 진하연이 잔잔한 미소를 지으며 말했다.

"술이라도 한잔하면서 하지요. 그게 낫겠네."

그래서 여구가 칼을 거두고 그렇게 하기로 했다. 객점에서 도적떼 두목인 여각과 여구는 술을 놓고 얘기를 계속 이어갔다. 얼굴이 험상궂어 도적같이 생겼지만 그래도 어엿한 부여군 천호(千戶)의 장(長)이었다. 의기(義氣)가 있어 보였다. 여구는 그런 여각이 큰 도움이 될 것 같았다. 무예 실력으로도 망자의 섬 은자를 상대할 수준이었다. 정통 군사 무예였다. 그것이 여구의 마음에 들었다.

"어떤가? 우리와 거래하지 않겠는가?"

"무슨 거래요?"

"도적질을 한 번 크게 하려는데…"

"도적질이오?"

"이 인근의 유민들을 모아서 기왕에 하는 도적질이니 크게 하자는 것인데… 값은 내가 후하게 쳐줄 테니…"

"값은 뭐로 쳐 줄 테요?"

"하나는 세상에서 가장 강한 칼이요. 둘은 달리고 달려도 지치지 않는 말이요. 셋은 배불리 먹을 수 있는 충분한 곡물이다. 장정 하나에 칼 하나, 말 한 마리, 곡물은 한 달에 한 섬이면 되겠나? 물론 곡물을 제일 먼저 주겠지만…"

"하하하−"

여각이 크게 웃었다. 여구와 진하연에게도 작은 미소가 얼굴에 번졌다. 저들도 원해서 하는 도적질이 아니니 여구의 제안은 복덩이가 저 스스로 굴러 들어온 것이나 진배없었다.

"하하− 그 셋이면 내 목숨 걸고 하지요. 그거면 나라도 세울 것이오. 이 인근에서 장정 하나에 칼 하나, 말 하나, 한 달에 곡물 한 섬이면… 안 그러냐? 다 모이지 않겠느냐?"

수하들에게 물으니 수하들도 다 그렇다고 크게 웃었다. 웃음이 끝나기 전에 여구가 그럼 거래를 하는 것으로 하자고 했다. 목숨을 걸고 맹세를 하라고 했다. 대뜸 사발을 가져오고 오리 한 마리를 가져오라 했다. 오리 피를 나누어 마셨다. 그리고 말했다. 얼마나 모을 수 있느냐고 하자 여각이 답하기를 오만 장정은 될 것이라고 했다. 그렇게 하기로 했다. 같이 가자고 했다. 가서 말 오만 필과 칼과 창, 활 등 무기 오만 개, 쌀을 비롯한 곡물을 가져오자고 했다.

됐다−

반신반의하는 여각의 도적떼 일부를 대극성으로 데리고 왔다. 여각은 처음엔 황당했다. 그러나 배포가 달랐다. 적어도 천 호 이상의 마을이 두서너 달은 먹고 살 수 있는 재물을 먼저 내놨다. 그러니 안 믿을 수도 없었다. 여구는 현지에 은자(隱者) 셋을 남겼다. 아직은 온전히 믿을 수 없었기에…. 그렇게 새롭게 조직을 만들고 일을 시켰다. 우선 여구 일행이 건넨 금과 재물로 주위에서 사람들을 모으도록 했다. 그리고 일부 수뇌들을 데리고 대극성으로 향했다. 먼저 돈을 준 것은 그들에게 신뢰를 주기 위함이었고 또 서로 관계를 명확하게 하기 위함이었다. 전략의 핵심은 유민을 군대로 만드는 것이었다. 먹을 것이 매개였다.

이건 거래다—

그래서 요하 강변에서 대극성으로 오는 길 내내 여각과 그 수뇌들과 여구는 함께 어울렸다. 인간적인 모습을 서로 내비쳤다. 여구는 유민 생활과 노예 생활을 했었다. 도적 이전의 유민들 습성을 누구보다 잘 알았다. 여구의 친화력은 유민 생활에서 얻은 것이다. 이런 점에서 여각은 여구를 잘 보았다. 여각과 여구는 의좋은 형제처럼 사이가 가까워졌다. 대극성에 도착하자

객점에 묵었다. 그리고 여구와 진하연 그리고 호위 둘만으로 대극성 왕궁으로 들어갔다. 왕궁 앞에는 여구가 미리 따로 보낸 백제 사절단이 도착해 기다리고 있었다.

편지를 읽었다-

비류왕이 대칸 모용황에게 보낸 밀서였다. 내용에 대해서는 여구도 진하연도 몰랐다. 태사자의 신분과 태사자를 보좌하는 신분에 대한 증표만이 있었다. 여구와 진하연을 살펴보고 모용황은 말을 건넸다.

"그래. 오시는 길이 길지는 않았겠소이다."

여구와 진하연은 무슨 말인가 싶었다. 모용황이 밀지를 내려 놓고 고민하고 있었다. 그러더니 두 가지 약속을 해줄 수 있느냐고 했다. 하나는 연나라의 이 위기를 극복하고 난 후에도 백제와 모용씨족은 형제국의 인연을 저버리지 않는다는 약속이었다. 그리고 또 하나는 자신의 딸 중에서 하나를 골라 태사자의 부인으로 삼으라는 것이었다.

여구는 난처해졌다-

진하연도 순간 생각이 거기서 멈춰 버렸다. 그렇게 됐다. 갑자기 요하 하류의 평곽성과 고구려, 그리고 조(趙)나라의 예고된 공격을 방어하기 위해 연나라와 백제 연합의 전쟁 지원 문제를 상의하는 자리였다. 그런데 미래 백제와의 평화협정과 모용황 대칸의 딸을 맞이하라니… 이런 곤란한 일이… 첫 번째 것이야 하면 되었다. 그러나 지금, 단 한 번 모용황이 여구를 본 것이었다. 그런데 대뜸 자신의 딸을 거래 조건으로 내세운 것이다. 밀지의 내용이 궁금했다. 진하연이 꾀를 내었다. 잠시 시간을 얻고자 했다. 그러자 모용황 대칸이 발끈했다.

"모든 권한을… 전권을 가져왔다고 하지 않았는가?"

그랬다. 전권대사. 태사자 임명장 중에서도 전권을 위임했다는 증표가 있었다. 그래도 이건… 어찌해야 할 바를 몰랐다. 대칸 모용황이 진하연을 보면서 말했다.

"내 아내가 몇인지 아는가?"

이게 또 무슨 소리인가. 모용황 대칸의 부인은 모두 이십 명이었다. 그것을 진하연에게 말했다. 너 혼자 독점하려고 하느냐.

말귀가 어두운 진하연이 아니었다.

"태사자 일신의 문제입니다."
"그런가? 과연 그런가?"

도대체 비류왕은 모용황 대칸에게 어떤 내용의 밀지를 보냈기에 저러나 싶었다. 그때야 비류왕 여호기의 밀지를 모용황이 진하연에게 건네주었다. 거기 그리 쓰여 있다.

태사자 여구는 내 둘째 아들이며 태사자 보위 진하연은 장차 내 며느리가 될 왕비가의 여식입니다. 이 두 사람이 곧 백제의 다음이니. 모용황 대칸께서는 백제의 모든 것을 이 둘이 결정할 수 있음을 아시고 협상을 하시기 바랍니다. 백제는 그 모든 결정을 따를 것이며 전적으로 지원할 것입니다. 백제국왕.

왕의 표시가 분명하게 나 있었다. 명주지(明紬紙) 위에 비류왕은 그렇게 적어서 밀봉하여 보냈다. 내 둘째 아들. 내 며느리. 장차 백제의 후계다. 이런 확신에 찬 외교문서는 없었다. 이를 연나라 대칸 모용황에게 보냈다. 뜻이 보였다. 그래서 모용황은 한 술 더 떴다. 모용황은 여구가 바로 여호기의 후계라는 것을 첫눈에 알았다. 아버지 모용외에게 수시로 들었다. 그 전투.

망루 위에서 깃발을 흔들어 모용씨족의 부대에 생로(生路)를 열어주었다던 적장(敵將). 어떻게 잊을까. 내신좌평 우복 태사자를 보내 일순 대륙의 패권을 안정시켰다. 자신이 가장 좋아했던 누이 모용오의 지아비다. 생김과 품격을 믿었다. 옛 단군조선의 명도전을 본떠 철제 명도전을 만든 사람이 바로 눈앞에 있는 여구라 했다. 영민해 보였다. 눈빛 속에 기품이 있었다. 정기(精氣)가 가득했다. 무예실력은 열도 최고의 절대무존(絶對武尊)이라 했다. 그러니 거래를 해야 했다.

"그리하겠습니다."

진하연이 먼저 그렇게 대답했다. 모용황의 뜻에 따르겠다. 물러설 수 없는 협상장이다. 진하연은 내심 매우 놀랐으나 연나라 대칸 모용황 앞이었다. 이를 얼굴빛에 나타낼 수 없었다. 어차피 이리될 수도 있다고 생각했다. 오히려 다행이라 생각했다. 많은 내용이 궁금했지만… 진하연은 내신좌평 진의의 집에서 비류왕과 여구를 보면서 이미 짐작을 하고 있었다. 바로 옆에서 보니 더 닮았다. 그날 진하연은 여구에 대한 그간 비류왕의 관심과 이유를 다 알 수 있었다.

다행이다–

그 밀지를 보여줄 수 있었다. 여구에게 슬쩍 밀어줬다. 여구는 그 밀지를 보다가 놀랐다. 자신을 둘째 왕자라 했다. 진하연은 장차 며느리가 될 거라 했다. 두 사람과의 모든 결정을 전폭적으로 지원한다고도 했다. 백제의 다음이라 했다. 백제의 다음. 참으로 많은 뜻이 내포되어 있었다. 그 부분에서 대칸 모용황도 생각이 깊었다. 비류왕 여호기의 뜻을 거기서 읽었다. 자신이 부친 모용외의 대통을 잇자 동생 모용인이 반란을 일으켰다. 그래도 결국 대통은 대통 감이 잇게 되어 있었다. 그런 것을 모용황도 비류왕도 잘 알고 있었다. 그런 의미에서 모용황은 아비 모용외가 여호기와 모용오를 맺어주었듯 자신의 딸 중의 하나를 여구와 맺게 해주고 싶었다.

모용황의 딸보다는—

내가 먼저다. 진하연은 대극성 왕궁을 나섰다. 대극성에서 대칸 모용황과의 협상은 대성공이었다. 자신이 생각해도 비류왕 여호기의 밀서는 예상치 못한 내용을 담고 있었다. 왕궁을 나서서 객점으로 향하는 동안 여구는 한마디도 안 했다. 어색했다. 하루 사이에 여구에게 두 명의 여자가 더 생긴 것이다. 객점에 도착했다. 여구는 객점에서 기다리는 여각 일행에게 준비도 시켜야 했다. 대전략이 펼쳐 지려 하고 있었다.

준비하라―

 여각은 도무지 알 수가 없었다. 우선 말 2만 필이었다. 대륙 북부를 달리던 그 명마들. 과하마 5만 필을 다 대준다고 했다. 칼로는 부족할 것 같아서 창을 만들었다. 칼보다는 창이 훨씬 수월했다. 창 3만 개와 칼 2만 개를 따로 준비해 주기로 했다. 그리고 쌀은 요하 하류 인근으로 수로를 통해 백제에서 가져오기로 했다. 믿을 수 없는 일은 계속되었다. 모용황이 여각을 만나자 한 것이다. 이게 꿈인가 생시인가 헛갈렸다. 요하 변에서 대극성까지 오는 동안 친형제처럼 허물없이 지내던 여구가 귀한 신분인 줄은 알았지만, 백제왕자이고 태사자인 줄은 몰랐다. 여각은 이제 달라져야 했다.

 "부여에서 천호장을 했는가?"
 "예."
 "그럼. 이제 우리 모용씨족이 되어서 전쟁을 해야 하는데 하겠는가? 할 수 있겠는가?"
 "예. 그리할 수 있습니다. 반드시 해내겠습니다."

여각은 그렇게 말했다. 모용황은 사내다운 여각이 몹시 마음에 들었다. 그래서 전혀 다른 제안도 했다.

"자네는 이제부터 이름을 모용각이라 하라!"

모용각? 모용씨족이 된다. 연나라 왕의 성씨를 받고 모용황의 의제가 되라고 했다. 마른하늘에 금덩이가 쏟아진 것이다. 요하 강변의 도적이 하루아침에 모용씨족의 왕족이 되는 순간이었다. 모용황에게는 다른 의미가 있었다. 아우 모용인이 반란을 일으켰다. 자신의 이복아우였다. 그 서제를 치기 위해 일족이 아닌 새로운 장수가 필요했다. 모용각. 여각을 받아주었다. 목숨을 바치는 충성스런 장수에게 왕족 성씨를 하사하여 그 공을 기리겠다는 것이다. 이는 또 도적에서 새로운 연나라 장수로 거듭나는 의미도 있었다.

왕궁을 나서면서 여각. 아니 모용각은 황당했다. 무슨 일이 이렇게 되는가? 자신의 허벅지를 꼬집어보았다. 분명히 아프고 꿈도 아니니 이제 모용각은 천하를 얻은 것 같았다. 요하 강변 도적 두목이 연나라 반란군을 토벌하는 토벌군 대장이 되었다. 아무리 생각해도 여구는 산속에서 만난 하느님이나 다름없었다. 작은 인연이 이리도 사람 팔자를 일시에 바꾸고 있었다.

연나라는 서남쪽에서 조(趙)나라의 침범을 막아야 했다. 그런데 동쪽 요동 벌을 담당해야 할 모용인이 반란을 일으킨 것이다. 조나라를 막으면서 모용인 반란을 동시에 막을 수는 없었다. 고구려의 계략이 파고들었다. 대륙백제의 도움이 필요했다. 그리고 열도의 도움도, 한성백제의 도움도 필요했는데 다들 사정이 여의치 않았다. 열도도 한성백제도 대군을 이끌고 올 수는 없었다.

여구의 작전은 이랬다—

조나라 군대를 연나라 군대가 맞이하는 그 순간, 대륙 백제군이 일어나되 실제로는 조나라 측방을 공격하는 것이 아니라 치려는 시늉만 한다. 그러는 동시에 요동 벌에 모용각의 5만 용병부대가 모용인 반란군을 상대하기로 했다.

열도에서는 배로 식량과 대륙백제의 지원군을 함께 데리고 와서 모용인의 뒤를 치기로 했다. 고구려 지원군이 모용인한테 달려올 것이고 그때 조나라를 물리치고, 달려오는 모용황의 주력군과 대륙 백제군이 이를 막기로 했다. 열도에서도 고구려 세력에 대항해서 야마다의 정예병들이 소국들과 연합하여 전선을 구축할 것이었다.

　한성백제는 고구려와 인접한 북쪽으로 병력을 강화해 나갈 것이었다. 열도와 한성백제군의 이동 없이 요동에서 추가 지원군 5만을 만드는 것이 이번 전쟁의 핵심이었던 것이다. 훗날 연나라 최고의 장수로 추앙받게 되는 모용각 장군이 이렇게 탄생하게 된 것이다.

萬 많은 것들이
往 가고
萬 수 없는 것들이
來 온다

用 쓰이고
變 변하는 것이
不 아니
動 움직이는
本 근본이다

來 온다

대백제국(大百濟國)을 꿈꾸는 두 사람의 신경전이다. 여구와 진하연은 그렇게 술잔을 겨눴다. 이제 대극성을 떠나기 전에 해야 할 일이 있었다. 여구에게 새로운 여인을 붙여주어야 했다. 대극성은 분주해졌다. 대칸 모용황의 딸 모용란(慕容蘭)이 결정되었다. 진하연이 택했다. 모용란은 무예솜씨가 대단했다. 그 솜씨에 못지않게 자색도 뛰어났다. 진하연은 이왕 자신이 여구의 여인을 고를 바에 제대로 마음에 들 만한 여인을 택하기로 했다. 그런 진하연을 보고 여구는 민망했다. 그리 바삐 움직이던 진하연이 사신전(使臣展)으로 돌아온 직후 술 한 잔을 청했다.

여구는 마다할 입장이 못되었다. 내일모레면 대극성(大極城) 왕
궁(王宮)에서 여구와 모용란의 혼례식이 거행될 것이다.

"어째야 하죠?"
"뭘…"

여구가 말끝을 흐렸다. 진하연이 마련한 독한 술을 거푸 녁
잔을 마셨다. 진하연이 계속 권하고 입을 연 것이 어째야 하냐
는 것이다. 뭘… 어쩌느냐… 고 했다. 여구가 딱히 답이 없자 여
구의 빈 잔을 채웠다. 그리고 저 혼자 한 잔 더 마셔 버린다.

"그래도 내가 먼저인데…"

어려운 입을 뗐다. 진하연은 여구의 여자를 골라놓고 심통이
났다. 죽 쑤어서 뭐 준다더니 자신이 그 꼴이었다. 모용란이 먼
저 일 수 없었다. 그래서 여구를 오늘 밤에는 반드시 갖기로 했
다. 그러나 부끄러움이 먼저였다. 여구가 먼저 다가와 주길 내
심 원했지만, 여구는 도무지 생각이 없는 건지 마음이 없는 건
지. 그랬다. 그래서 뿔이 났다. 저리도 이치에 밝은 사내가 어찌
여인네 심사에는 이리 무딘가? 따지고 싶었다. 그냥 따지기로
했다. 밤새.

그렇게 다음, 그다음 날—

진하연은 두 밤을 보내고 더욱더 당당해졌다. 그 옆에서 여구는 뭐든지 알았어, 알았다고만 했다. 진하연이 어제, 그제 저녁 이후 밤을 어떻게 보냈는지. 모용각은 여구가 변했다고 생각했다. 진하연도 달라졌다. 여구는 그런 진하연 옆에서 싱글벙글한다. 좋아서 헤헤한다. 사실 여구는 진하연의 사려 깊음에 고마워하고 있었다. 의사 결정이 매우 빨랐다. 여구보다 일을 풀어나가는 능력이 더 탁월했다. 일 중심. 그것이 진하연의 매력이었다. 공평무사(公平無私). 일은 모름지기 그렇게 해야 한다.

혼례는 셋이 하는 것이다—

모용황이 크게 배려했다. 혼례식은 셋이 하기로 했다. 진하연이 정식 부인으로 앞섰다. 모용란은 그 뒤를 따랐다. 모용황은 보았다. 진하연, 보통내기가 아니다. 당연히 왕재(王才) 중의 왕재였다. 백제의 장래가 밝을 것으로 생각했다. 오늘 이날은 가히 기념할만한 날이 될 것이다. 저 삼 인이 대륙과 반도, 그리고 열도의 주인이 될 것이라고 연나라 대칸 모용황은 예견했다.

미리 계획된 대로 준비가 된 것을 보내야 했다. 열도에서 연희는 모든 준비를 마쳤다. 나주벌은 벌써 삼 년째 대풍년이었다. 나주벌의 곡물을 싣고 요하 하구로 향했다. 박다항(博多港)에 새로 만든 상선(商船) 120척이 준비되었다. 기존 배의 두세배는 더 컸다. 여구가 개발한 방식으로 만들었다. 큰 돛 한 개와 작은 돛 두 개, 세 돛과 양측에 노 40개가 달렸다. 곡식이 한 척당 일천 섬은 족히 실릴 배였다. 수부들은 잘 훈련되었다. 대해부는 늙었고, 인화는 아팠다. 결국, 연희가 앞장을 서야 하는데. 문제가 있었다. 야마다 신궁(新宮)을 비울 수가 없었다. 게다가 연희는 태기가 있었다. 그래서 더욱 갈 수가 없었다.

그 칼을 가지고 가야 합니다—

출정은 단복이 맡아야 했다. 특히, 칼이 핵심이었다. 단복은 새로운 칼을 가지고 출항에 나섰다. 옛 동명성왕검을 부러뜨린 새로운 동명성왕검의 제작 방식으로 만든 검들이었다. 단복이 결국 해냈다. 단복은 오직 여구만을 위해 칠성의 기운을 뿜어낼 칼을 하나 따로 만들었다. 칠성검. 새로운 절대무왕의 검이었다. 도무지 이전에는 없던 검이었다. 본신 옆으로 여섯 가지가 더 있었다. 검신(劍身)은 금으로 치장되어 더 빛이 났다. 그 검을 휘두르면 온 사방에 광채가 휘날렸다. 해(日)를 근본(本)으로 하는 무존(武尊)의 검. 모든 것을 여구에게 가져다주고 싶었다.
망자의 섬에서 여구가 데리고 나온 100인 중에서 열도 야마다
를 지킬 은자들을 빼고 40명을 데리고 가기로 했다. 그 40명은
군사 훈련과 진법, 병사들을 운용할 수 있는 백제 무절의 군장
급으로 훈련이 잘되어 있는 사람들이었다. 이번 출정은 아주 긴
여행이 될 것이었다. 이, 삼 년을 잡았다. 대륙에서의 전쟁은 보
통 그랬다.

　나주벌은 최적의 곡창지대였다−

　곡물생산량이 좋았다. 흉년 동안 베풀었던 것이 많이 늘어나
있었다. 최소 20의 1이 기본인 조세와 소작농조차 최대 10의 2
를 넘지 않는 아주 낮은 소작료 덕분에 재물이 풍족해진 나주
벌 농민들은 대해부가 교역장의 최대 거래자였다. 상단이 대풍
년의 최고 수혜자가 되었다. 수많은 곡물과 각국에서 가져온 희
귀한 물품들이 교류되었다. 대륙 북방의 가죽들이 특히 귀한 대
접을 받았다. 사슴뿔과 사슴 가죽은 그 값이 매우 비쌌다. 말도
비쌌다. 이번 곡물과 대대적인 교역이 있을 것이었다.

　열도에서 온 120척의 배에 곡물이 가득 실렸다. 12만 섬이
실렸다. 2만 섬은 씨 종자였다. 12만 섬은 5인 가족이 4섬으로

1년을 보내는 것을 기준으로 할 때, 약 15만 명이 1년을 먹을 수 있는 분량이었다. 약 200만 명이 한 달을 버틸 분량이 대륙백제로 향하기 위해 선적되었다. 배에 싣는 기간만 보름이 넘었다. 모두가 총동원되었다. 대해부가는 오래전부터 이를 준비해왔다. 3년 풍작의 기회가 왔기에 여지없이 대해부가는 곡물들을 챙겨놓았다. 이제 그 기회가 온 것이다.

전선이 속속 형성되고 있었다. 고구려 연합 세력이 결성되고 있었다. 예상대로였다. 신라도 가야도 준동하려 했다. 한성백제에서도 군령들이 속속 전선으로 향하고 있었다. 방비를 철저히 해야 했다. 한성백제가 대륙백제를 지원하는 순간 고구려 연합군이 쳐들어올 태세였다.

27일 만에 대륙백제에 들렀다. 여구가 설계했던 상륙함 20척에 병사 2천 명과 말 2천 필이 올랐다. 그 기세가 대단했다. 그리고 다시 열흘이 걸려 평곽성이 멀리 보이는 포구 앞에 진출했다. 상선을 호위하던 상륙함 20척과 곡물 수송선 120척의 대함대가 발해만 포구에 들어차니 해안의 풍경은 그야말로 장관이었다. 각 함선에는 야마다 열도와 백제군 깃발들이 바람에 휘날리고 있었다. 일제히 고(鼓)가 울렸다. 부우-하고 나발 소리가 뒤를 이었다.

출전이다−

　먼저 상륙함선이 움직였다. 상륙함은 바람을 타고 그대로 포구 방향이 아닌 해안 모래톱으로 다가갔다. 해안선에 거의 닿게 되자, 상륙함의 선수 앞문이 두 개 열렸다. 앞으로 2조의 상륙발판이 길게 내려져 바닥에 닿았다. 그러자 그 상륙발판을 밟고 바로 기마대가 튀어나오는 것이었다. 한 배에서 무려 백여 기가 쏟아져 나온다. 백제의 기마대가 나오고 있었다. 엄청난 모습에 포구를 지키던 평곽성 수군들 수백 명은 기가 질려 버렸다. 모든 것을 버린 채 평곽성으로 도망쳐야 했다. 그 상륙 광경을 보면서 모용각 역시 입을 다물지 못했다. 여구는 정말 사람이 아니라 하늘이 내린 신인(神人)이라 생각되었다. 여구는 말했었다.

　쌀과 곡물들이 올 것이다−

　그래서 유민 장정들로 하여금 평곽성이 잘 보이는 해안지대에 우선 진지를 구축하라 일렀다. 그곳은 평곽성처럼 성(城)은 아니었지만, 아래에 해안선을 끼고 있는 평곽성을 살필 수 있는 고지대였다. 그곳 건너편 포구는 모용인의 수군들이 차지하고 있었다. 이를 위해서 전투를 해야 했었다. 하지만 아직 유민들은 훈련되지도 않았고 쌀과 곡물에 대한 확신도 없어서 오합지졸(烏合之卒) 도적떼에 불과했다. 그래서 어찌 저 배들이 상륙하나? 그것을 걱정하고 있었다. 그런데 일순 포구를 이천의 기마대가 장악해버린 것이다. 그리고 함선에서 물품들이 내려왔다. 곡물과 대륙백제와 열도에서 오합지졸 유민들을 군대로 만들 군장들도 도착했다. 유민들의 사기(士氣)가 올랐다. 처음에는 모조리 다 군대인 줄 알았다. 그러나 상륙함이 포구 일대를 점령하고 함선들이 닿자마자 곡물을 꺼내게 하는데, 곡물의 양을 보고 다들 함성을 질렀다. 유민들에게 그 어떤 것보다도 힘이 나게 하는 곡물이었다. 먹을 것이었다. 곡물을 내리는 데는 유민들이 나서게 했다. 백제 경기갑병대 2천은 유민들에게는 공포이면서 동시에 든든한 우군이었다.

곡물이 내려지자 모용각은 다시 한 번 여구를 생각했다. 먹을 것을 준다. 다만 충성하라. 충성에 대한 맹세에서 선비족이나 부여, 고구려는 배신하면 그 후손까지 멸한다고 후렴을 달았다. 부여의 천호(千戶) 장(長)으로서 부여군왕에게 그리 맹세했었다. 연나라 대칸 모용황의 의제가 되고서도 그렇게 맹세했다. 그러나 여구에게는 그런 맹세를 한 기억이 없었다. 그저 먹을 것을 주겠다. 네 맡은 바를 다 해라. 그러면 내가 지켜주겠다.

다만 이렇게 말했을 뿐이었다. 그 말. 이제 모용각은 더욱 실감하고 있었다.

여구가 모용각과 대해부 상단에 미리 일러두었다. 유민들에게 곡물을 먼저 나눠주게 했다. 먹고 도망가도 할 수 없다고 했다. 그러나 도망가는 자는 거의 없을 것이라 단언했다. 곡물이 많다. 그 많은 곡물 다 가져가지도 못하니… 아까워서 곡물 곁을 못 떠나리라고 했다. 평곽성의 모용인이 공격해올지도 모른다고 했다. 그럼 우리가 이긴다고 했다. 수년을 굶어온 유민들이다. 배불리 먹을 곡물을 다 빼앗길 수는 없었다. 무조건 목숨을 걸고 지키려 할 것이다. 그러니 걱정하지 마라. 그래서 모용인은 진다. 우리가 이긴다고 했다. 오랜 배고픔으로 목숨 값이 곡물과 비슷해지면 그때 초인적인 힘이 나온다. 유민의 생활에서 배운 여구의 판단이었다. 굶어본 자. 굶는 식구들을 염려해본 사람만이 꾀할 수 있는 전략이었다. 유민들에게 실컷 먹을 수 있도록 하라! 끼니때마다 밥을 짓는 연기가 요하 하류 강변에 가득했다.

한 달도 안 되어서 유민은 어느새, 두 배나 늘었다. 전쟁터로 나갈 수 있는 장정만 삼만 오천 명이 넘을 듯 했다. 그 가솔들까지 최소 십오만 명은 되어 보였다. 곡물을 더 풀었다. 앞으로 열흘 내에 군대 편재가 필요했다. 모용각은 사십 명의 은자 군장들을 기반으로 군을 편재했다. 단복이 천하의 명검으로 보이는 칼들을 가져왔다. 이제 무기는 충분해졌다. 조금 있으면 자신보다 늦게 대극성을 출발한 여구와 진하연이 도착할 것이었다. 모용각은 사람을 믿은 보람이 있었다. 이 정도면 나라를 세울만했다. 앞을 내다보는 여구의 안목에 모용각은 마음으로부터 존경을 품었다. 그리고 백제의 위세가 얼마나 대단한지를 깨닫는다.

가자─

빨리 가야 했다. 혼례가 끝나고, 꿈결 같은 두 아내와의 낮과 밤이 지나고 있었다. 여구는 낮에는 연(燕)나라 대칸 모용황과 전쟁을 논의했다. 그리고 밤에는 두 아내와 번갈아 사랑을 나눴다.

342년 9월. 추수를 막 끝내자 조(趙)나라가 움직였다. 모용황은 예상대로 조(趙)나라가 침공하자 전 병력을 이끌고 전투에 임했다. 대신 연나라 대칸 모용황은 기병 3천을 여구에게 주었다. 그 기병을 이끌고 요하 하구의 평곽성으로 향하게 했다. 여구가 계획한 대로 평곽성 일원의 유민들이 모여 있었다. 평곽성의 모용인 병사들만 3만이었다. 고구려군이 2에서 3만, 선우 부족이 합세한 연합 지원군이 도착하면 10만 대군이 될 수도 있었다. 평곽성을 먼저 함락하고 대칸 모용황의 정예부대가 도착할 때까지 그 시간을 벌어야 했다. 먼저 대륙백제 좌장 설리의 부대가 조(趙)나라의 측면을 공격하기 시작했다. 조(趙)나라 석륵은 당황했다. 대륙백제가 쳐들어올지 미처 알지 못했다. 당연히 대비가 없었다. 요하의 낙랑성이나 평곽성으로 갈 줄 알았다. 그런데 측면을 공격해오자 혼란에 빠졌다. 나라를 빼앗길 참이었다. 후방 부대를 보내 급히 대륙백제에 맞서게 했다. 그것이 틈이었다.

모용황의 군대는 조(趙)나라 석륵의 선봉을 꺾었다. 불과 얼마 안 걸렸다. 조(趙)나라는 급했다. 백제의 공격에 측방이 무너지면서 동북방에서 모용황과의 싸움도 질 수밖에 없었다. 그 조급함이 크게 당황하게 했던 것이다. 패전에 패전을 거듭했다. 선봉의 반 이상이 무너졌다. 석륵은 화친을 청했다. 모용황은 받아 주어야 했다. 성질 같아서는 당장 석륵을 쳐 죽이고 나라를 멸망시켜야 하겠지만, 요동 벌에서의 일이 걱정이었다. 할수 없이 화친을 받아들였다. 모용황은 조(趙)나라와의 경계에 정예병 3만을 두어 지키게 했다. 이어 4만의 기병을 이끌고 요동 벌로 달렸다. 요동 벌로 가는 중간에 과하마(果下馬) 5만을 또 미리 준비시켰다. 말 두 마리가 기병 하나를 태우고 빠르게 달리면 이르면 10일, 늦어도 12일이 걸릴 것이다. 군량은 걱정이 없었다. 도착하면 거기에 있을 터였다.

"과연 뜻대로 될까요?"

"아님, 어쩌지…?"

"천하태평이에요. 여긴 전쟁터인데…"

"봐, 저기 들녘 가득히 밥 짓는 연기가 하늘로 오른다. 마치 천제를 지낼 때 제물을 바친 그 모습이야. 저것이다. 저것이 바로 하느님을 가장 감동하게 하는 모습인 것을 왜들 모를까…"

그랬다. 배고픈 자들이 밥 짓는 모습. 그 주린 배를 채워주기 위해 하늘로 연기가 오른다. 그 연기가 바로 제례요, 감사요, 기쁨이 아닌가. 그 모습에서 여구는 신명이 솟았다. 신명이 나면 불가능이 없어지는 사람.

해보자—

정말 가능한 일인가. 평곽성을 단독으로 친다? 이것이 가능한 일인가. 그러나 여구는 가능하다고 했다. 이미 적은 졌다. 그 이유를 진하연은 모른다. 모용란은 그런 여구가 낯설다. 비록 아비인 모용황을 따라 여러 번 전쟁에 참가했던 장수지만 이렇게 전쟁을 쉽게 생각하는 사람을 본 적이 없었다. 벌써 몇 개월째 여구는 전쟁을 그림 그리듯 그리고 있었다. 아주 새로운 그림이었다.

어둠을 탔다—

입체 공격을 하기로 했다. 다들 공격할 준비를 하라고 했다. 이제 유민들의 군대는 5만을 넘고 있었다. 그들에게 군사로서 전쟁에서의 승리를 맛보게 해야 한다고 여구는 생각했다.

여구는 단복과 함께 온 은자(隱者)들에게 명령을 내렸다. 평곽성에 잠입하라. 그리고 문을 열어라! 성문을 여는 시점은 성(城) 이곳저곳에서 불이 날 때, 그때이다. 모두 군령을 잘 지키라 했다. 성문을 열고 들어가는 것은 유민군대 모용각에게 맡겼다. 이번 승리는 모용각의 것이어야 했다. 그것이 북부 대륙의 안정을 가져올 것이다.

한밤중에 쏘았다—

실전에서는 처음이었다. 화려한 불꽃처럼 평곽성으로 불똥이 떨어졌다. 그러나 그 불똥은 이내 픽, 평하고 터졌다. 유화과(油火果) 화과탄(火果彈)이다. 작은 투석기를 상륙함 상부에 다섯 개씩을 달아 놓았다. 화과탄을 처음 쏘아 보고 있었다. 대성공이었다. 실전에서 사용은 처음이었지만 잘 날아갔다. 그리고 역시 제대로 터져 주었다. 평곽성 내에서 난리가 났다. 처음에는 몇 개 안 떨어졌는데… 터지면서 삽시간에 불이 번졌다. 그 불을 물로 끄려 했더니 더 넓어졌다. 기름불이었다. 20척의 배에서 한 번에 5발씩, 한 시진 동안 20발, 무려 2만 발이 쏟아졌다. 그 기름불이 하늘에서 비 오듯 내리퍼부었다. 평곽성 곳곳은 이내 불 난리가 났다. 3만의 병사들이 온통 불 끄기에 매달려야 했다. 혼란을 틈타 남쪽 성문이 아무도 몰래 열렸다.

은자(隱者)들-

잠입술의 대가들이었다. 평곽성 안이 온통 불 난리가 나자 남쪽 성문의 병사들을 죽이고 문을 열어 놓았다. 열린 남문을 통해 모용각의 유민 부대가 진입했다. 그렇게 평곽성 전쟁은 간단히 끝나가고 있었다. 왜 어떻게 전쟁이 끝나는지를 아무도 몰랐다. 모용각은 그저 남쪽 성문을 뚫기 위해 유민들을 다소 희생해야겠다고 생각했었다. 그런데 성문은 이미 열려 있었다. 검은 복면과 검은 복장을 한 은자(隱者)들이 문을 열어 놓고 기다리고 있었다. 여구의 별동부대였다. 눈으로 보고 있어도 믿기지 않는 무예실력에 특출한 잠입술을 가지고 있었다. 성문을 뚫기 위한 별다른 수고 없이 그저 열린 문으로 쳐들어갔다. 거기 불탄 성(城)이 있었고, 우왕좌왕하는 모용인의 군대가 있을 뿐이었다. 모용각의 유민군대에 모용인의 정예군이 항복해왔다. 전쟁의 의지조차 타 없어진 것이었다. 모용인은 3천의 기병만을 데리고 북문을 통해 고구려로 도망을 쳤다. 남문이 열린 지 이틀이 지나지 않아 완전히 평곽성이 평정되었다.

대승(大勝)이었다─

유민부대의 대승리였다. 모용황은 열사흘 밤낮을 말 위에서 달려왔다. 이제 곧 고구려 군대가 요동 벌로 도착할 시각이었다. 그런데 도착하자마자 승전보가 먼저 전해져 왔다. 모용각 부대의 대승이다. 평곽성을 차지하고 있던 반란군 모용인의 정예군 3만은 이제 첫 전쟁을 나서는 유민의 군사들에게 칼 한번 제대로 휘둘러보지 못하고 패배해야 했다. 더구나 성을 쳐서 공격하는 것은 지키기보다 세 배는 어려운 것이다. 모용황은 모용각 능력이 탁월함을 인정했다. 모용각을 평곽성 성주로 임명하고 요동 일원의 연나라 지역 총 태수로 봉했다. 이 모든 것은 여구의 책략이었다. 모용각은 느꼈다. 여구 부대의 작전과 운용이 어떤 방식으로 어떻게 이루어졌는지는 모르지만, 여구는 그 사람 깊이와 크기가 헤아릴 수 없는 자임은 틀림없었다.

모용황이 데리고 온 5만 필의 말이 쌀을 싣고 온 함선에 실렸다. 모용황은 쌀과 곡물 대신 과하마와 사슴뿔과 사슴 가죽을 주었다. 그리고 평곽성을 거점으로 백제와 연나라가 사이좋게 땅을 구분했다. 거기에 연합군 진영을 편재했다. 고구려군은 도망친 모용인의 기병을 받아들이고 전선에서 물러났다. 수적으로 모용황 군대를 이길 수 없었다. 모용황이 데리고 온 4만 기병과 모용인의 반란군 2만 5천이 그대로 편입되었다. 모용각이라는 신비한 장수가 거느린 부대도 5만이 넘는다고 했고, 무엇보다 대륙 백제군이 10만 명이나 요동 벌로 진군하고 있었다. 고구려는 전쟁이 더 확대되는 것을 피해야 했다. 선우부족과 다 합해도 15만을 넘기기가 쉽지 않았다. 평곽성을 공격하는 것과 해전은 더더욱 무리였다. 오히려 산성의 문을 굳게 걸어 닫고 모용황 부대의 침입을 걱정해야 했다.

고구려를 친다-

연나라 대칸 모용황은 장군 모용각에게 평곽성과 후방을 지키게 하고 고구려의 환도성으로 진격하였다. 환도성을 점령하면 한동안 고구려가 침공할 엄두를 낼 수 없을 것이라 여겨졌다. 환도성은 모용황의 몫이었다. 두 달 만인 11월 모용황은 고구려의 환도성을 쳐서 포로를 5만이나 잡았다. 모두 노예로 끌고 갔다.

한성백제에서 날아든 정보가 심상치 않았다. 대해부가에서 그리고 진하연의 왕비가에서 연일 첩보가 여구와 진하연의 손에 들어왔다. 여구는 여기서 이번 전쟁을 마쳐야 했다. 예상대로 한성백제를 향해 고구려, 신라, 가야 연합세력도 준동하고 있었다. 급히 한성백제로 향해야 했다. 대륙 백제군 중에서 정예로 선발된 무절랑군 경기갑병 1만 명을 말과 함께 상륙선과 상선들에 나누어 실었다. 추가로 대륙백제에서 온 보급선에 말 4만 필을 추가로 실었다. 열도와 나주벌에 없었던 잘 훈련된 과하마로 군마 5만 필이 계획대로 확보된 것이다.

백제로 간다-

한성백제로 가는 길은 대륙백제로 향할 때와는 전혀 달랐다. 많은 것이 변해 있었다. 아내도 둘이나 생겼다. 아이도 둘이 생겼다. 열도의 연희는 딸을 낳았다. 딸은 영민하기 그지없다고 했다. 그 사이 위(倭) 야마다 비미호 신녀(神女) 인화 여왕이 먼저 죽었다. 대해부는 크게 슬퍼했다. 대해부도 위태로웠다. 여왕은 법도에 따라 연희가 계승했다. 그 뒤를 여구의 딸이 승계하도록 선언되어 있었다. 이제 여구는 온전한 야마다의 천인(天人)이 되었다.

진하연은 전쟁터에서 아들을 낳았다. 이름을 수(須), 귀수(貴須), 귀류(貴流)라 칭했다. 진하연은 아이부인(阿爾夫人)이라 불렸다. 전쟁터에서 아기를 낳고 그 아이를 데리고 전투에 임했다고 해서 백성이 붙여준 이름이었다. 항상 아이를 데리고 유민들을 돌봤다. 전쟁터에 나간 군사들에게 큰 힘이 되는 것이 후방이다. 유민의 군대들은 유민을 위해 싸운다. 연나라 대칸 모용황도 아니고 모용각도 아니며 여구도 백제도 아니다. 오직 자신의 가솔들. 부모와 아내, 그리고 자식들을 위해 죽음을 각오하고 싸운다. 살리려고 죽도록 싸운다. 그 이치를 진하연은 알고 있었다. 진하연의 아이, 귀류는 젖먹이 때부터 그 민심(民心)을 전쟁터에서 보며 자랐다.

萬 많은 것들이
往 가고
萬 수 없는 것들이
來 온다

用 쓰이고
變 변하는 것이
不 아니
動 움직이는
本 근본이다

用 쓰이고

한성백제의 위기는 외부에서 온 환란이 아니다. 내부문제였다. 왕비 하료와 설거의 권력 쟁투가 이제는 위로 올라와 서로 드러내고 으르렁댔다. 왕비는 요즘 눈에 띄게 심신이 약해 보였다. 미약에 빠졌다. 밤중에 사가로 암행하는 경우가 늘었다. 비류왕과 동침을 하지 않기에 그 일은 들키지 않는 듯 했다. 그러나 설거 왕자가 이를 보고 있었다. 흑천이었다. 흑천의 옛 흑우가 상단 지하 흑천각이 다시 문을 열었다. 흑천주(黑天主) 우복(優福)이 한성백제 고마성 인근에 몰래 잠입해서 와 있었던 것이다. 왕비 하료는 흑천에서 미약에 빠졌다. 원래부터 심신의 안정을 위해 조금씩 약을 했었다. 그런 왕비 하료는 대륙백제의 전쟁도, 한성백제로의 고구려 침공도 다 부질없었다. 오직 여구의 등장이, 태사자 여구에 대한 비류왕의 마음이 더 신경 쓰였다.

"왕자로 받아들일 수 없습니다."

"그렇소? 나 또한 태자 걸걸을 후계로 천명할 수 없소이다."

"정말 이러실 것입니까? 왕자로 받으면… 그 아이를 후계로 삼을 속셈이 아니십니까?"

"왕비, 나와의 약속을 잊었소? 아니요."

"그럼 먼저 후계로 하십시오! 그러면 받겠습니다."

"아니요. 먼저 받으시오! 그럼 후계로 결정하겠소!"

비류왕은 조급했다. 여구가 돌아오기 전에 이 일을 매듭지어야 했다. 여구를 왕자로 인정시켜야 했다. 비류왕에게 복안이 있었다.

"태자의 문제를 거론해라! 나는 여구에게 내 핏줄인 것만을 확인해주고 싶다. 분서왕의 적자는 너다. 너도 후계 준비를 해라!"

이 이야기. 왕자 여설거는 자신의 귀를 의심했다. 내선(內禪) 양위(讓位)를 준비하도록 하라는 것. 비류왕은 자신이 오랫동안 준비해온 것을 실행하기 시작한다. 내신좌평 진의(眞義)를 불렀다. 양위(讓位). 얼마 전 여구가 나타났을 때에도 놀랐다. 그런데 벌써 양위라니. 이는 즉각 수용하기가 쉽지 않았다. 그런데 진의는 전혀 사태 파악을 할 수 없었다. 양위 대상은 여설거라는 소문이 파다했다. 왕비 때문이었다. 설거가 어부지리 할 수도 있었다. 한성백제는 순식간에 왕비가와 온조계의 분쟁으로 치닫는다.

게다가—

고구려 연합군의 침공이 임박했다. 병관좌평 설귀에게는 한성백제의 북쪽 패수에서 밀려올 고구려를 막으라 했다. 왕자 여설거에게도 명이 내려졌다. 신라를 견제하라! 한성백제 동쪽에 대한 경계가 강화되었다. 그러는 중에 양위(讓位) 논쟁이 격해졌다. 비류왕의 준비 명령이 은밀히 내신좌평에게 내려졌다. 설거가 승리하고 오면! 이라는 전제가 달렸었다. 하지만 지금 신라는 백제군을 이길 수가 없었다. 고구려의 연합 전선이 아니면 신라가 준동하지 않았을 정도다. 그런데 그 전쟁에서 승리하면… 이라고 했다. 그러면 여설거다. 이렇게 수많은 한성백제 사람들이. 특히, 귀족들의 이목이 왕자 여설거에게로 집중되고 있었다. 이를 왕비 하료가 모를 리 없었다. 하료는 흑천주와 대놓고 상의했다. 하료는 미혼약으로 시작된 흑천주와의 거래로 말미암아 흑천주가 죽었다고 알려진 우복임을 알게 되었다.

"받아야 하겠습니까? 그 아이..."

그 아이. 여구. 비류왕 여호기를 똑 닮았다는 그 여구를 왕자로 받아들이고 후계는 태자로 한다? 그럴 수 없다. 여구를 받아들이면 곧 태자를 바꿀 것이다. 왕비 하료는 비류왕 여호기를 무시하지만 우복은 달랐다. 비류왕은 매우 전략적인 사람이다. 복안도 없이 이런 일을 무모하게 꾸밀 사람이 아니다. 그것이 무엇일까... 비류왕이 어떤 전략으로 이 일을 밀어붙이는지를 몰랐다. 불안했다. 대세는 급격히 왕자 여설거 쪽으로 기울고 있었다. 온조계가 왕비족 반대전선을 꾸미고 있었다. 대륙 비류계는 중립을 지키고 있었지만, 왕비 하료보다는 여설거 쪽으로 방향이 모여지고 있었다. 그런 분위기에서 왕비 하료는 선택의 여지가 없어지고 있었다. 받아야 했다.

"받겠어요. 대신 태자에게로 후계 공표 또한 제가 하겠습니다. 같은 날 동시에 제가 하지요."

그것이 묘안이었다. 왕비 하료가 공표한다. 그래 놓고 비류왕 여호기가 이를 추인하게 한다. 그래야 태자 걸걸에 대한 왕위 계승과 여구 왕자 승인이 같이 이루어질 것이었다. 고구려 연합 세력과 큰 전쟁으로 돌입할지도 모르는 위난(危難)의 순간에 한성백제의 귀족들은 차기 왕권 경쟁에 혈안이 된다.

"태사자 여구는 비류왕의 아들이요, 우리 백제의 둘째 왕자 다. 이를 천명하노니…"

왕비 하료가 여구를 받아들였다. 이미 오래전부터 소문이 돌 던 터라 이를 아니다 맞다 할 수가 없었다. 이 문제만큼은 왕과 왕비 이외에 이를 맞다 아니라라고 논의할 수 있는 귀족이나 중신은 없었다. 태사자 여구가 태자 걸걸 다음 왕자가 되었다. 비류왕이 대칸 모용황에게 보낸 밀서(密書)가 사실이 되는 순 간이었다. 그리고 그 선언과 동시에 왕의 후계가 최종 확정되었 다. 왕비 하료는 비류왕의 후계로 열도에 있는 난봉꾼으로 소문 난 태자 걸걸을 발표했다. 이에 귀족들의 의견이 분분했다. 태 자로서 별반 공(功)이 없었다. 한성백제를 위해서, 백제를 위해 서 한 일이 없었던 것이다. 말들이 많았다. 특히, 왕자 여설거를 지지하는 측의 반발은 엄청났다. 비류왕 여호기는 침묵했다. 이제 추인만 남았다.

"이제 추인하시지요!"

왕비 하료가 약속을 지키라 했다. 다음 날 추인을 거행하기로 했다. 양위(讓位)도 같이 검토하겠다는 비류왕의 말에 중신들이 거세게 반대했다. 비류왕은 양위 검토지시를 내신좌평에게 내렸다. 그러자 더욱 중신들이 반발했다. 비류왕은 다음 날 전체 귀족회의를 준비하게 했다. 그래서 왕비 하료가 비류왕의 추인을 다음 날로 미룰 수밖에 없었다. 비류왕에게 다시 하루의 시간을 줬다. 비류왕 여호기가 왕비 하료에게 술자리를 청했다. 여호기는 하료에게 술잔을 건네면서 말한다.

"참 오랫동안 고생이 많았소. 그 업보가 다… 어이 되겠소?"
"이것이 어미의 마음입니다. 여인이 아닌 어미의 마음은 지어미보다는 더 강합니다."
"권력이라는 것이 그런다고 얻어지는 것이요?"
"기울면 저절로 채워지는 것이 세상의 이치입니다."
"하늘의 뜻이 그런 건가"
"그래도 다행입니다. 왕께서 이리도 건강할 때 물려줄 수 있어서…"

아니면 더 힘들었을 터였다. 설거의 힘이 더 세졌으면… 비류왕의 병색이 완연해서 그 명(命)이 바로 서지 않으면 더욱 힘들었을 것이다. 왕비 하료는 비류왕 여호기에게 말하고 있었다. 그래서 그나마 다행이다. 너도 살고, 나도 너를 죽이지 않아서. 그나마 다행이다.

"이제 쉬고 싶소. 한성백제에서 가장 귀한 곳에서 쉬렵니다."

왕비 하료도 듣게 되었다. 비류왕이 요즘 자주 했다는 말이다. 뜻 모를 이 말을 자주 했었다. 비류왕 여호기는 최근 들어 부쩍 한성백제에서 가장 귀한 곳에서 쉬고 싶다고 했다. 그 이야기에 사람들이 묻곤 했다. 한성백제에서 가장 귀한 곳이 어디입니까? 그러면 그저 웃고 말았다. 비류왕은 왕비 하료와 독한 술을 몇 잔 하며 불편한 심기를 드러냈다. 그러자 왕비 하료는 내일이면 다 잘 끝날 일이라며 자리를 물러났다. 비류왕은 늙은 태감을 시켜 침실에 술 여러 병을 들이게 했다. 병째 마시고 병을 던져 깨면서 화를 풀었다. 그렇게 왕위를 물리는 전날 비류왕은 하료에게, 궁인들에게 매우 언짢은 심기를 내비쳤다. 술에 대취해서 잤다.

그날 밤−

　왕궁 침실에 자객이 들었다. 그리고 큰불이 났다. 왕의 침실에 불이 나고, 비류왕 여호기가 자다가 칼에 맞고, 그 불에 타서 죽었다. 왕의 전각을 다 태우고 곧 꺼졌다.

　비류왕의 시신이 수렴되었다. 왕관도 시신도 검게 타버려 몰골이 흉하게 일그러져 있었다.

　왕비 하료는 울었다. 젊은 시절 여호기를 보고 한 눈에 사내로 품었다. 그러나 여호기는 하료에게 온전히 마음을 주지 않았었다. 선화의 등장은 하료의 사랑을 증오로 바꾸어 놓았다. 하료의 증오는 갈증과 매한가지였다. 여호기에 대한 갈증. 왕이 죽었다. 그러나 슬픔도 잠시, 후계자 추인이 문제가 됐다. 아직 왕의 추인을 받지 않은 태자 걸걸의 후계 논의가 분분해진 것이다. 왕이 추인하기로 했다고 왕비 하료는 강변했다. 그러나 설거 세력이 이를 인정할 리 없었다.

　지금이다−

　우복은 흑천을 총동원시켰다. 흑천은 한성백제 귀족들을 움직였다. 온조계와 대륙 비류계 또한 급격히 왕자 여설거 쪽으로 기울었다. 왕비 하료는 이것이 무슨 조화인가 싶었다. 왕비 하료는 몰랐다. 비류왕의 장치가 작동하고 있었다.

귀족들이 일시에 설거로 기운 것은 바로 설거의 군대가 한성백제에서 가장 가까운 곳에 대군으로 있었기 때문이었다. 고마성에서 가장 가까운 군대는 곧 가장 큰 힘이었다. 대륙에서 모용각이라는 신비의 장수가 백제의 지원으로 모용인을 물리쳤다. 이에 고구려가 후퇴하였으며 모용황의 주력군대가 고구려로 쳐들어가고 있다는 정보가 연일 들어왔다. 그러면 신라가 쳐들어올 수 없다고 우복은 보았다. 급히 설거의 군대를 고마성 근처로 불러들였다. 설거의 군대가 회군하자 한성백제에서 힘의 균형추가 일시에 무너졌다. 왕자 여설거가 대세가 되었다.

왕이 서거하셨다―

뱃길로 한성백제로 오는 도중이었다. 비류왕이 죽었다는 첩보가 대륙백제의 여구와 진하연에게도 도착했다. 워낙 여구의 함대가 큰 전단을 형성하고 있었기에 가능한 일이었다. 비류왕의 죽음에 대해 여구와 진하연은 매우 놀랐다. 특히, 태사자 여구를 백제의 제2 왕자로 공표한 바로 다음 날, 태자를 후계자로 삼아 양위를 추인하려다가 자객의 습격을 당했다고 했다. 왕의 침실에 불이 났다고 했다. 왕의 시신은 겨우 수습하였다고도 했다. 이에 한성백제의 상황이 급변해서 열도에 있던 태자 결걸로 왕위가 계승되려고 하다가 귀족회의에서 왕자 여설거 쪽으로 급히 기울었다고 했다. 설거 왕자의 부대가 회군해서 고마성 인근을 다 장악하고 있었다. 한성백제의 포구로 그냥 가면 위험했다. 여구는 급했다. 사정을 알아보고자 첩자들을 보내기로 했다.

그래도 가야 했다—

여구의 함대는 한성백제 포구에 닿았다. 여구는 그대로 함선에 남고, 진하연이 고마성으로 향했다. 왕궁에서 귀족회의 의장인 내신좌평 진의의 명(命)이 도착했다.

귀족회의 결과였다. 비상대권. 태사자 겸 왕자 여구는 한성백제로 진입하지 말고 열도로 가라는 철수명령이었다. 여구는 명령을 어길 수 없었다. 함대를 나주벌로 향하게 했다. 나주벌에 대륙 백제군 일만과 말 이만 필, 그리고 사슴뿔과 가죽들을 놓고 나머지는 열도로 향하게 하고 열도에서 대기하게 했다. 여구는 나주벌에서 상황을 지켜보기로 했다.

진하연만 한성백제 고마성으로 귀환했다. 대륙에서 여구와 진하연이 혼례를 올린 사실을 몰랐다. 이 일을 까맣게 모르는 왕비족은 내분 때문에 진하연의 입장이 중요해진다. 왕비 하료 측과 태왕후 하미 측 둘 다 진하연을 끌어들이려 했다. 진하연은 한성백제에 오면서 이미 힘의 축이 왕자 여설거에게 기울었음을 알았다. 고마성은 설거의 군대에 의해 완전히 포위되어 있었다.

끝났다―

진하연은 왕자 설거가 다음 대통을 거머쥐었다고 생각했다. 설거다. 설거는 진하연의 조카다. 이제 왕의 이모가 된다. 진하연은 힘의 축이 기운 것에 따르기로 했다. 이를 급히 여구에게 전했다.

이미 힘이 너무 기울었다―

혹시? 진하연은 비류왕이 그렇게 만들었을 수도 있다고 생각했다. 고마성 왕실에 불이 또? 지난번 불난 장소, 태왕후의 처소에 비류왕이 여러 번 와서 살폈다. 그때 비류왕의 관심이… 이런저런 생각으로 진하연은 골치가 아팠다.

여구와 설거. 이제 문제는 여구였다. 비류왕의 왕자라는 것을 공표했으나 막상 한성백제에서 여구를 어찌 대할 것인지… 그것이 문제였다. 자신이 은밀히 그 일을 해야 했다. 설거와 여구. 그 피 말리는 줄다리기가 시작된 것이다.

됐다—

왕자 여설거는 태자 걸걸로 왕의 후계를 추인하기 전날, 흑천주 우복의 명에 따라 한성백제로 귀환했다. 그때 흑천주 우복은 열도로도 사람을 보냈다. 서위에게 명했다. 태자 걸걸을 죽여라! 또한 자객을 왕실로 보내 비류왕도 죽이라 했다. 그리고 사태는 끝났다. 이제 한성백제 귀족회의만 마무리되면 되었다. 귀족회의는 빠르게 진행되었다. 설거가 왕이 되는 것은 시간문제였다.

내신좌평으로 백제귀족 대화백회의 의장인 진의(眞義)는 귀족회의 전체 의견으로 설거 왕자를 비류왕의 후임, 계왕(契王)으로 추대했다. 분서왕의 적자로서 분서왕이 죽었을 때, 나이가 어려서 비류왕이 추대되었지만, 이제 비류왕의 뒤를 이어 백제의 왕이 되기에 모자람이 없는 명분을 갖춘 것이다.

344년. 계왕(契王). 타고난 자질이 강하고 용감하며 말타기와 활쏘기에 능했다. 그가 마침내 꿈꾸던 백제의 왕이 된 것이다.

백제 12대 계왕-

여설거는 왕이 되자마자 국사(國師)를 들였다. 흑천주라 했다. 흑천주는 그 모습을 드러내지 않았다. 계왕은 신궁 반대편에 국사당(國師堂)을 짓게 했다. 그곳에 흑천주는 거했다. 흑천은 새로운 힘으로 한성백제에 자리를 잡았다.

대천관 신녀 진혜가 몸이 매우 아파 폐관했다. 대신할 신녀를 선출해야 하는 데 후계가 없었다. 신녀를 대신할 새로운 신궁주로 진하연을 태왕후 하미가 추천했다. 진하연이 신궁주가 되어 새로운 대천관 신녀의 선출과 왕궁(王宮)의 모든 제의(祭儀) 진행을 맡기로 했다.

왕비 하료는 태왕후가 되었다. 계왕의 왕비는 대륙백제의 명문가 협씨가 되었다. 계왕은 왕이 되면서 즉시 백제의 권력을 집중시킬 계획을 추진하기 시작했다. 먼저 하료의 세력을 제거하기 시작했다.

태자 걸걸이 죽었다-

암살이었다. 태자 걸걸은 야마다 연희 공주 때처럼 고구려 자객으로 위장된 흑천 서위의 부하에 의해 독살되었다. 이 때문에 계왕은 열도에서도 우환이 사라졌다고 생각했다. 백제는 이제 온조계가 다시 장악하게 되었다. 계왕은 자신의 백제를 만들기 위해 서서히 움직였다. 훗날 왕권대립의 씨앗인 왕자 걸서를 모반 혐의로 죽이려 했다.

하료가 하미에게 부탁했다. 절규했다. 그러나 하미는 냉랭했다. 어찌할 수도 없었다. 그러자 하료는 다시 흑천주 우복에게로 갔다. 걸서의 모반 혐의가 포착되었다고 했다. 하료는 흑천주 우복에게 말했다.

"뭐라? 누구의 아들이라고?'
"걸서는 우복. 바로 당신의 아들이요!"
"그… 그럴 리가…"
"그 일을 모르진 않을 것이니 어서 구하시오! 형제가 아니오? 그러니… 제발 계왕을 말리시오! 말려야 하오! 만약 계왕이 걸서를 죽인다면 당신과 하미, 결코 무사치 못할 것이오! 당신이 이렇게 살아 있는데… 백제의 반도, 역적의 씨앗이 분서왕의 후계자로 둔갑해서 왕이 되었다. 흥— 귀족들과 백성이 이 사실을 안다면 절대 용납하지 않을 것이오! 결단코. 어서, 걸서를 구하시오, 어서!"

역시였다. 하료는 우복의 씨로 걸서를 잉태했다. 왕자 걸서와 계왕은 이복형제가 된다. 우복은 그 사실을 계왕에게 말해야 했다. 하료는 흑천주 우복을 압박했다. 결코 무사할 수 없었다. 하료에 의해 알려진다면 더더욱 그랬다. 하미와 자신의 아들이 계왕이라는 사실이 밝혀지면 모든 일은 걷잡을 수 없이 커진다.

"설거를 말리시오. 계왕을 말려서… 내 아들을 살려주시오!"

하료의 절규는 처절했다. 그리고 우복은 하료의 말대로 걸서가 자신의 아들일 수도 있다고 생각했다. 하료의 입으로 직접 들으니 더욱 실감이 났다. 계왕을 말려야 했다. 계왕이 아우 걸서를 죽이는 것만은 막아야 했다. 사람을 보냈다.

그러나 늦었다—

계왕은 걸서 왕자를 자신이 직접 베어 버렸다. 일벌백계(一罰

百戒)였다. 한성백제에 경종이 울렸다. 귀족들이 일순 긴장하기 시작했다. 계왕으로 말미암아 자신들도 죽을 수 있다는 것을 깨달았다. 계왕은 그럴 수 있는 사람이고 그런 상황은 언제든지 만들어질 수 있었다.

萬 많은 것들이
往 가고
萬 수 없는 것들이
來 온다

用 쓰이고
變 변하는 것이
不 아니
動 움직이는
本 근본이다

變 변하는 것이

민심(民心)이다. 민의(民意)다. 한성백제의 귀족들은 계왕이 등극한 지 1년이 채 안 되어서 대변화를 겪는다. 우선 각 백제 영역의 성주와 태수들의 어린 자제들이 다시 한성백제 무절랑 군에 편성되었다. 한 술 더 떠서 백제 귀족회의를 확대했다. 귀족대표로 각 지역의 원로, 즉 씨족의 수장이 한성백제에 상시 거주할 수밖에 없게 되었다. 계왕은 백제의 각 지역 원로와 어린아이들을 모두 한성백제에 인질로 붙잡은 셈이 되었다. 또한 각 지역의 상단을 국유화하면서 흑천의 밀무역이 강화되었다. 조세는 20분의 1에서 10분의 1로 강화되었다. 전쟁을 준비하기로 했다.

계왕은 공포정치를 시작했다—

국사당에서 열도 정복을 논의했다. 신궁에서는 반대했다. 서로 갈등이 심해졌다. 신궁과 왕비족은 진하연이 완전히 장악했다. 하료도 없었다. 왕자 걸서가 죽던 날, 하료는 실종되었다. 일각에서는 미쳤다고 했다. 태자 걸걸과 왕자 걸서의 죽음이 그렇게 만들었다고도 했다. 그 충격으로 늙은 진루는 죽었으며, 하료의 동생 진하이(辰河夷)는 북성의 한직으로 가 있었다.

괴질이 돌았다—

열도에서 온 괴질이 계왕을 잠시 멈추게 했다. 흑천주 우복과 설거는 끊임없이 여구를 없애려 했다. 그런데 열도에 괴질이 매우 심하게 돌았다. 열도로 가는 것도, 열도에서 오는 것도 괴질이 멈출 때까지 당분간 금했다. 그 괴질에 모태황후 하미가 죽었다. 흑천주 우복이 국사당에 버젓이 살아 있음도 모른 채. 모태황후의 죽음이 열도 괴질에 대한 공포를 더하게 했다. 괴질 때문에 왕래가 막힌 것이 여구를 지키고 열도를 전쟁의 위협에서 벗어나 있게 했다.

진하연은 아들을 걱정했다. 아들 귀류는 여구와 함께 열도에 있었다. 진하연과 여구 사이에 아들이 있다는 것은 한성백제 사람들은 모르는 일이었다. 아직은 알아서는 안 될 일. 만약 여구를 해하려 할 때, 이를 대비해서 진하연과 여구와의 관계는 철저히 숨겨져야 했다.

진하연은 조카인 계왕, 즉 설거를 어렸을 적부터 잘 알았다. 나이가 비슷했다. 그래서 더 가까이 지냈었다. 계왕은 성격이 못된 구석이 있었다. 자신이 모든 것을 독점해야 했다. 자신이 다 갖고 나야 조금 나눠줬다. 그리고 큰 생색을 냈다. 내가 줬다. 독점하고 생색을 내야 하는 그런 계왕의 성격을 잘 아는 진하연은 한성백제 포구에서 여구와 말을 맞추었었다.

당분간 나와 아무 관계 없는 것으로 하자-

나는 이제부터 당신의 첩자가 되어 한성백제에 있을 것이다. 그러니 귀류도 당신이 데리고 열도로 가라. 이제 한성백제는 피바람이 분다. 그리된다. 열도에도 피바람이 불 것이다. 반드시 분다. 태자 걸걸을 설거가 놔둘 리 없다. 여구 당신도 그렇다.

여구도 그 말에는 동의했었다. 여설거와 한성백제가 무서워서가 아니었다. 대륙백제의 일만 군사와 열도의 군사를 동원하면 한판 해볼 수도 있었다. 그러나 그러면 내전이었다. 고구려와 신라, 가야 연합군이 한성백제를 노리고 있는데 대륙 백제군과 열도 연합군이 한성백제를 치면 곧 고구려에 기회를 주는 것이었다. 더욱이 비류왕 사건을 확인해야 했다. 무조건 전쟁을 할 수만은 없었다. 이것이 여구가 한성백제로 들어오지 못한 이유고, 진하연이 홀로 고마성으로 들어온 이유였다.

설거. 계왕은 자신을 왕으로 택한 진하연을 더는 의심하지 않았다. 어미가 죽고 나자 친남매처럼 자란 진하연을 많이 의지했다. 왕이란 그런 자리다. 왕이 되어서는 부자간에 칼을 겨누는 자리요 아무도 의지할 데가 없어지는 자리다. 설거의 그 심중을 진하연이 가장 잘 읽고 있었다.

다행히 귀류는 괴질이 난무한다던 열도에서 무사히 잘 지냈다. 실상, 괴질은 만들어진 것이었다. 초로가 그리했다. 야마다를 위협하는 인접 고구려 세력 국가들의 우물물에 은자들을 시켜 웅황 돌을 섞게 했다. 그 웅황이 우물물에 서서히 녹아 면역력이 떨어진 순서대로 원인 모르는 괴질에 걸리게 된 것이다. 실상은 독살이었다. 그 괴질과 무관하게 모태황후 하미는 등창이 번져 죽었는데 괴질에 대한 공포로 등창이 괴질이 된 것이었다. 진하연이 하미의 등창을 보고 괴질이라 하여 다들 괴질인 줄 알게 되었다. 그래서 고마궁까지 번질 수 있는 괴질을 단속하기에 바빴다. 귀족들도 괴질이 도는 동안에는 열도와의 거래를 다 끊었다. 그렇게 단절된 기간 1년 몇 개월이 훌쩍 지나 버렸다.

이제 신궁주(神宮主) 진하연은 한성백제에서 여구가 열도로 들어오는 방법을 찾아야 했다. 또 이와 함께 우선 신궁의 주인부터 선택해야 했다. 동정녀(童貞女)를 뽑기로 했다.

병이 깊어 자진해서 폐관에 들었던 대천관 신녀 진혜가 깨어났다. 폐관을 접었다. 역대 대천관 신녀는 죽음을 앞두면 늙은 시녀 하나를 데리고 자진해서 자신의 무덤, 즉 신당의 지하 내실 사당으로 들어가 죽음을 맞이하는 것이 전통이었다. 이는 곧 폐관이었다. 그러나 가끔 신통한 신녀 중에서는 다시 밖으로 살아 나오는 경우가 있었다.

신녀는 비록 아주 노쇠해졌지만, 폐관에서 살아왔다. 죽지 않았다. 신녀를 돌볼 시녀가 먼저 죽어버렸다. 그래서 나왔다고 했다. 폐관에 들어갔다가 나온 대천관 신녀는 별채에 모셔져서 죽을 때까지 편히 시중을 들어주는 것이 관례였다. 이승에서의 생을 진미(眞美) 하게 더 느끼고 가라는 뜻이었다. 진하연은 크게 반겼다. 그런데 대천관 신녀 진혜가 폐관에서 나와 진하연에게 은밀히 말해 준 것이 있었다. 그것은 실로 엄청난 것이었다.

비류왕—

살아 있다고 했다. 한성백제에서 가장 귀한 곳에 살아 있으리라고 대천관 신녀 진혜가 말해주었다. 진하연이 알아보았다. 진하연도 그렇게 예상하기도 했었다. 과연 비류왕은 불에 타 죽지 않았을 수도 있었다. 죽기 전, 한성백제에서 가장 귀한 곳에서 살고 싶다고 말하곤 했다고 했다. 암시였다. 뭔가. 묘수? 아, 그랬다. 고육지책에 금선탈각지계다. 자신을 죽여, 한성백제를 혼돈으로 빠트린 것이다. 그리고 빠져나갔다. 진하연은 비류왕이 자신에게 한 이야기들에서 추리하기 시작했다. 가장 귀한 곳. 진하연은 궁 안을 다 뒤졌다. 왕비족에서 전해오는 궁의 비밀통로도 샅샅이 살펴보았으나 찾을 수 없었다.

할 수 없다—

밀서를 보냈다. 열도의 여구에게 전했다. 비류왕이 살아 있을 수 있다. 폐관에서 돌아온 대천관 신녀 진혜가 말했다고 했다. 이런 뜻을 가림토 문자를 뒤섞은 암호문으로 보냈다.

열도는 현재 백제와 단절 중이었다. 배가 열도로 떠날 수도, 도착할 수도 없었다. 그래서 계왕과 흑천주를 움직일 꾀를 내었다. 이는 신궁주(神宮主) 진하연의 꾀이기도 했지만 아주 오래 전부터 있었던 대천관 신녀의 계획이기도 했다.

백제 신녀, 대천관 신녀를 선발한다-

백제 신궁과 항상 대립각을 세우고 있었던 국사당의 흑천주가 선뜻 받아들였다. 하늘의 뜻이란 그만큼 어렵다. 여전히 그 정체를 드러내지 않고 있던 흑천주 우복은 하늘의 뜻을 읽는 일만큼은 자신도 다 알 수 없는 것으로 생각했다. 그래서 하늘의 뜻을 읽을 수 있는 동정녀(童貞女) 신녀는 많으면 많을수록 좋았다.

전 백제 권역에서 신궁 신녀, 즉 대천관의 후계를 뽑는 일이 시작되었다. 계왕은 그 일에 관심이 많았다. 이제 절대무왕. 대륙과 반도, 열도를 통일할 대왕으로 자신이 될 수 있는지를 알아야 했다. 소서노 모태후의 전설을 자신이 얻을 수 있는지 알아야만 했다. 신궁주 진하연의 계획에 크게 동조했다.

의외다-

신통력이 있는 아이들. 남녀 아이들을 데리고 와서 백제 대천관의 후계가 되게 하라. 내해를 끼고 있는 백제 세력 중에서 신통력이 있는 모든 신녀 후보와 그들을 돌볼 일행에게는 열도에서도 올 수 있도록 통행이 허가되었다.

전 백제에서 신통력이 있는 자는 다 모인다-

백제의 대천관 신녀가 된다. 이는 곧 백제의 핵심이 되는 것이었다. 백제 대천관은 백제의 앞날을 좌지우지한다. 전 백제 세력권에서 그 신통력이 있는 아이를 찾기 위해 난리법석을 떨고 있었다.

신녀 선발을 한 달여 앞두고 방안을 찾아야 했다. 열도에서 여구는 그 방안이 무엇인지 알고 있었다. 연희여왕도 알고 있었다. 대안이 없었다. 연희여왕은 그렇게 하라고 했다. 연희여왕은 그 사이 두 번째 임신을 하고 있었다.

"이게 뭐야?"

"뭐긴? 똥이네…"

"뭐? 똥? 아니다."

"어? 아니라고? 아니야 똥이야."

"아니라니까. 벌레가 먹이를 가져가는 거야."

"그럼 한번 봐, 봐라!"

귀류가 상자를 연다. 거기 원래는 똥 벌레 쇠똥구리가 있었
다. 거봐라는 표정으로 귀류를 약 올린다. 쇠똥구리는 도망치고
없었다. 그 먹이는 쇠똥이다. 거봐라. 쇠똥구리는 없고 똥만 있
네. 똥이 맞네. 그런 유현에게서 귀류는 약이 오른다. 그래도 둘
은 사이좋게 곧 또 논다. 늙은 초로는 그들의 좋은 친구가 된
다.

"그럼 백제 도읍에는 하수도가 없어요? 똥은 어떻게 해? 누
가 그 똥을 거름으로 만들었어요? 와! 물도 그렇고, 쓰고 남겨
버리는 것이 하나도 없네. 다 다시 쓰는 거야? 개똥도 소똥도?"

"그럼요. 다 다시 쓰지요. 거름도 만들고 사람 똥은 돼지 먹
이로도 씁니다. 그것이 밝달 사람들이 우수한 이유입니다. 버리
는 것이 없습니다."

"와? 나무처럼…"

"암요. 나무는 사람과 같습니다. 식물은 동물과 반대로 하지요. 나무는 땅을 뿌리로 하고 사람은 하늘이 뿌리입니다. 나무의 먹을거리는 사람의 배설물이지요. 사람이 내뱉은 숨은 나무의 먹이가 되고, 나무가 내뱉은 숨은 사람이 코로 먹게 됩니다. 그래서 나무숲이 좋은 곳에 가면 숨이 좋아집니다. 그래서 목숨이 아닙니까? 목에 붙은 숨. 공기가 그리도 중요합니다."

초로와 함께 진하연의 아들이자 여구의 아들인 네 살 귀류와 놀고 있는 연희여왕의 아이, 다섯 살 난 공주 대유현(大有賢)은 신공(神功)이라 불렸다. 그만큼 신통했다. 딸을 위험한 곳으로 데리고 가야 했다. 은자 중에 최고수급으로 수행단을 꾸렸다. 여구도 초립을 쓴 호위 무사로 평범하게 변복을 했다.

야마다 공주 대유현(大有賢)은 그런 아비와 함께 한성백제로 가는 것이 너무도 즐거웠다. 여구는 위험을 감수하고서라도 비류왕 여호기의 행방을 찾아야 했다. 여구는 비류왕이 죽지 않았다고 생각했다. 신통력이 있는 연희와 딸 대유현도 그렇다고 했다. 꿈에 여구는 곰이 동굴에서 웅크리고 잠자는 것을 보고 있었다. 자꾸 불러도 나오지 않았다. 그래서 자신이 가서 곰을 깨웠다. 곰이 소금을 자기에게 주었다. 그 꿈을 연희와 대유현은 비류왕이 살아 있고 여구를 돕기 위해 그리하고 있는 것이라고 했다. 대유현은 비류왕이 어디 있는지 지금은 안 보인다고 했다. 그래서 여구는 하늘을 믿고 비류왕이 살아 있음을 믿었다.

다시 왔다–

열도에서 한성백제 포구로 향했다. 포구에 도착하자마자, 대해부가의 함선 한 척은 바다 위 한적한 곳에서 몰래 대기하고 있어야 했다. 여차하면 바로 포구에 댈 수 있어야 했다. 육지로도 준비하게 했다. 퇴로를 미리 준비한 여구 일행은 신체검진을 받고서야 한성백제 고마성 인근으로 갈 수 있었다. 괴질 검사는 신궁에서 주도해서 약 박사가 맡았다.

진하연의 치밀한 계획으로 무사히 백제 고마성으로 올 수 있었다. 신궁으로 향했다. 여구 일행에게는 가장 안전한 곳이었다. 진하연은 유현을 보자 좋아했다. 자신의 아들 귀류와 열도에서 잘 놀던 사이다. 예뻤다. 자신의 양딸로 삼았다. 신궁주의 양딸. 그렇게 유현은 신녀 대회를 준비하고 있었다.

그러는 동안–

여구는 큰 초립을 쓰고 평범한 복장으로 변복을 한 채 한성백제 고마성 일원을 살피고 다녔다. 한성백제에서 여구를 아는 이는 거의 없었다. 크게 신분이 노출될 위험은 없었다. 그리고 제 몸 하나 건사할 수 있는 무예실력 이상은 갖추었다. 어쩌면 한성백제에서 여구를 상대할 수 있는 고수는 거의 없을지도 모를 일이었다. 여구는 딸 유현과 아내 진하연 주변을 은자 셋으로 경호하게 하고, 자신은 일곱 명의 은자와 함께 비류왕을 찾기로 했다. 비류왕을 찾으면 서로 연통하기로 했다.

어디에 있을까-

한성백제에서 가장 귀한 곳. 수소문해보니 역시 일반 백성이나 귀족들은 다 백제 고마성이라 했다. 그건 아닌 것 같았다. 그런데 이상한 점을 발견했다. 백성에게는 비류왕이 계왕인 설거에게 왕위를 선양한 것으로 되어 있는데, 그게 아닌 것 같았다. 죽기 직전 자객이 들었다고 했다. 설거 군대가 고마성 일원을 완전히 포위했다고도 했다. 흑천주가 국사당에서 백제의 국사 노릇은 하는데, 국사가 된 그 흑천주가 누구인지는 아무도 몰랐다. 흑천주가 수상했다. 백제의 국사인데 아무도 낯빛을 본 자가 없다니. 오직 계왕만이 그 정체를 알고 있는 듯 했다. 여구가 지금 찾아가 살피기엔 무리였다. 흑천 서위가 한성백제에 와 있었다. 그 흑천 서위가 한성백제인들 중에서 가장 잘 여구를 알고 있었다.

신녀 선발이 시작된다―

한성백제가 온통 야단법석이 되었다. 거리 곳곳에 신통방통한 사람들이 모여들고 있었다. 온갖 점사가 난무했다. 자칭 대신통력으로 비가 오게 할 수 있다고도 했다. 저 멀리 서역의 고승들도 왔다. 백제 아이면 다 되었다. 와서 접수하고 기초 시험을 통과하면 신녀 대회에 참여할 수 있었다. 기초 시험은 통 안에 들어 있는 것을 맞추는 것이었다. 또 궁상각치우 오음(五音)을 알아맞히는 것이었다. 두 가지는 천안통(天眼通)과 천이통(天耳通)의 기초였다.

기초시험은 빛과 소리에 대한 예민한 정도를 측정하는 것이다. 빛과 소리. 태초는 소리가 있어 시작되었다고 한다. 음양이 본디 혼돈되어 있었다. 그 어둠. 궁창(穹蒼) 속에서 음양이 분리되는데, 그것이 빛이요 어둠이다. 그 빛과 어둠으로 분리되는 것이 소리다. 이를 율려(律呂)라 한다. 율려는 파동이다. 힘의 연속이다. 그 힘이 작용하여 빛과 어둠으로 나뉘는 것이다. 그래서 하늘과 땅이 생겼다. 그 삼태극 중의 삼태극이 빛과 어둠이고 힘의 연속이다. 빛은 양이다. 소리는 음이라고 본다. 그러나 그 양에는 음이 있고 그 음에 또한 양이 있다. 물론 빛은 밝고 소리는 어두운 성질을 가지고 있다. 하지만 그보다는 인간의 눈이 볼 수 있는 빛은 약 180도 정도밖에 안 되고, 귀로 듣는 소리는 눈을 뜨건, 안 뜨건 상하, 전후, 좌우 모든 곳에서 들린다. 눈으로 감지하는 것은 몸의 전면에 불과하고 듣는 것은 전체다. 눈에 보이는 세계만 인정하는 선천(先天)의 상징은 빛이요, 후천(後天)은 소리가 주도하는 것을 뜻한다.

사물의 소리는 음파(音波)를 통해서 들리고, 진정한 소리는 심파(心波)를 통해서 들어야 한다. 음파는 공기를 통해서, 심파는 마음을 통해서 듣는다. 일반 사람들은 음파를 통해서 사물의 소리만을 들으니, 소리가 통하지 않는 신명계와 통할 수 없다. 신녀는 달라야 한다. 음파를 넘어 심파를 느낄 수 있어야 한다. 신명(神明)을 느껴야 한다. 본래 음파라는 것은 물질의 진동을 통해서 들리게 마련인데, 무형계와는 불통한다. 그러기에 선천에서는 모든 게 통하는 자유가 없다. 후천을 통해야 들을 수 있다. 그것이 바로 심파로 율려(律呂)를 듣는 일이다.

오음성(五音聲)인 궁상각치우(宮商角徵羽)는 다섯 가지 소리다. 궁음(宮音)은 목구멍소리, 즉 목안 소리로 토(土)의 성질을 가지고 있다. 소리가 심후(深厚)하여 끝이 웅장하게 들리는 무거운 소리이다. 말 그대로 궁— 하고 소리를 내보면 알 수 있다. 상음(商音)은 잇소리, 이 뿌리 소리로 금(金)의 성질을 가진다. 소리가 고르고 끝에 여운(餘韻)이 있는 빠른 소리이다. 상— 소리를 내보면 알 수 있다. 각음(角音)은 어금니 소리로 목(木)이다. 소리가 높게 들리다가 끝이 조급(燥急)하여 촉발하는 소리이다. 각— 해보면 그 느낌이 드는 소리다. 치음(徵音)은 혓소리 또는 혀끝소리라고 하며 화(火)이다. 소리가 추급(追及)해 끝에 여운이 없으니 빠르고 날리는 소리이다. 치— 해보면 그 날아간 느낌이 든다. 우음(羽音)은 입술소리로 수(水)이다. 소리가 늦은 듯 급하나, 끝이 유창(流暢)하여 막힘이 없으니 낮고 평온한 소리이다. 우— 하면 그 평온을 느낄 수 있다.

이 오음을 깨달으면 사물의 모든 소리와 신명계의 파동을 느낄 수 있다. 그래서 천안통과 천이통이 신녀 관문의 중요한 주제였다. 오백이 넘게 신청해서 겨우 일곱이 통과했다. 기초 관문이 너무 어려웠다. 보고 듣는 것이 이렇게 어려울 줄은 아무도 몰랐다.

"여기에 뭐가 들어 있습니까?"

단순하게 작은 상자 하나를 주고 그 안에 뭐가 들어 있느냐

고 묻는다. 열도에서 귀류가 매일 물어오던 것이었다. 유현에게
는 쉬웠다.

"보리밥이네…"

오음(五音)은 더 쉬웠다. 정확하게 답을 했다. 궁상각치우를
악기로 소리를 내면 듣고 맞추는 것이다. 단순히 오음이 아니었
다. 악기의 상태가 변형되어 있었다. 소리를 듣고 그 변형된 것
까지 알아맞혀야 하니 그것이 다소 어려웠다. 벽 너머에서 소리
를 내는 것만으로 두 가지를 다 얘기해야 했다. 신녀들에게는
문제조차 가르쳐 주지 않았다. 그 아이들의 반응이 곧 시험문제
고 정답이었다.

왕이 낸 문제. 그것을 다들 일반 신녀들에게 적어서 내도록
했다. 정답자는 신청이 다 끝나고 답을 접수한 후 시험관들과
신궁주가 왕이 내린 정답지와 함께 맞추어봤다. 진하연도 그 문
제가 무엇인지를 몰랐다.

상자 하나엔 보리밥이 맞았다. 그리고 또 하나 오음 중에 궁
- 소리를 내는 것은 배소가 맞았다. 배소 부는 것을 본 사람들
도 있었으니 그것이 문제일 수는 없었다.

배소는 피리를 뗏목 모양으로 엮은 것으로 맑고 청아한 소리
가 특징이다. 우리 전통음악에 쓰이는 십이 율(律) 음을 내도록
제작된다. 이 악기는 예로부터 단군조선 시대부터 생겨났다고
했다. 고구려에서는 ㄱ자형 모양으로 만들고, 백제에서는 피리
를 엮은 사다리꼴 형태로 만들었다. 봉황을 닮았다는 봉소(鳳
簫)도 있었는데 궁에서만 썼다. 그 배소의 잘 짜인 피리 중의
하나가 질이 다른 나무로 만들어졌다는 것이 계왕 설거가 낸
문제였다. 다른 나무가 들어간 것을 알아내야 했다. 이는 배소
를 보면서도 구별할 수 없었다. 검사관도 진하연도 이 문제와
답지들을 비교하면서 비로소 알게 되었다.

"궁음인데… 악기가 틀어졌네. 그 악기… 배소다. 그런데 하나
가 틀어졌어. 그 하나, 끝 나무가 다른 것이야."

문제와 답에 대해 검사관도 신녀들도 다들 놀랐다. 왕이 낸
문제. 그걸 어찌 알아맞힐 수 있을까 했다. 그런데 이를 알아맞
힌 아이들이 있었다. 역시. 진하연은 진정으로 유현이 천안통과
천이통을 가지고 있다고 생각했다. 가장 뛰어난 인재라고 했다.
정답에 가장 가깝게 알아맞힌 이가 바로 대유현이었다.

유현을-

　대천관 신녀 진혜가 별채에서 유현에게 뭔가를 일러주고 있었다. 유현은 왜 그래야 하냐고 따졌다. 그래도 대천관 신녀는 그리해야 한다고 했다. 겨우 유현이 그리한다고 했다. 그것이 무엇인지 진하연은 몰랐다.

萬 많은 것들이
往 가고
萬 수 없는 것들이
來 온다

用 쓰이고
變 변하는 것이
不 아니
動 움직이는
本 근본이다

不 아니

여구는 생각했다. 한성백제에 온 것도 수 십일이 지났다. 다시금 되짚고 있었다. 여구와 진하연. 그리고 대천관 신녀는 비류왕 여호기가 살아 있을 것이라 믿고 있었다. 여구는 대천관 신녀의 얘기를 듣고 비류왕 여호기가 자신을 위해 무엇을 했는지 더 잘 알게 되었다. 진한 아비의 정(情)에 가슴이 아려온다.

다 버린다-

잃기 전에 다 버려야 한다. 그래서 단 하나 내 아들을 구할 것이다. 그렇게 줄 것이라 했다. 여구에게 태사자 임명과 대륙 북부로 보낸 것에는 그 뜻이 담겨 있었다. 비류왕은 여구에게 사람을 주기로 한 것이다. 대륙백제의 안정은 연(燕)나라 모용황과의 관계에 있었다. 대륙백제의 좌장 설리도 얻어야 했다. 가장 중요한 진하연. 왕비족 백제 제일 지녀도 주어야 했다. 진하연은 곧 한성백제의 숨어 있는 마음이기도 했다. 진하연은 왕비가 숨겨놓은 백제 제일 지자(智者)다. 백제의 안방 살림 내용을 꿰뚫고 있는 왕재다. 대천관 신녀는 진하연이 다른 왕비족 사람들과 다르다 했다. 왕비 하료, 하미보다 진하연이 훨씬 뛰어나다고 했다. 그래서 비류왕은 진하연을 살피고 살펴서 아들 여구에게 주기로 마음먹고 있었다. 그래서 진하연을 여구와 함께 보냈다. 비류왕 여호기는 진하연이 여구를 사모하는 마음 또한 알았다. 더더욱 어여뻤다. 비류왕의 뜻은 이루어졌다. 그리고 한성백제의 여설거와 대륙백제 여설리의 충돌로 발생할 대륙백제의 명문세가, 즉 비류계 세력들도 주어야 했다. 그렇게 비류왕은 자신을 버려 사람들의 마음이 여구에게로 향하도록 했다.

대륙백제에서 여구가 돌아오기 전에 일을 꾸몄다―

설거 왕자를 한성백제에서 제일 가까운 곳에 백제 무절의 수장으로 세워 전쟁터로 내보냈다. 한성백제 전체 병력의 반이었다. 병관좌평 설귀 장군은 북성을 지키게 했다. 내신좌평 우복이 죽었던 북성이다. 설귀는 많은 생각을 할 것이다. 설귀가 북성으로 가면 고구려의 침입은 막겠지만, 한성백제를 방어하는데 왕비 하료의 근본이 흐트러질 것이다. 병권의 책임자가 북성에 있고 한성백제 인근 동쪽에는 왕자 여설거가 있을 것이다. 그러므로 왕비 하료와 설거는 균형을 갖게 된다. 그리 생각했다. 자신이 왕비 하미 처소에서 불이 난 것을 직접 조사하면서 들키지 않을 방안을 연구했다. 불이 일시에 번져 전각을 다 태워야 했다.

매우 독한 술이 필요했다. 왕비 하료와 술을 마시고, 왕비를 보내고도 또 혼자 술을 더 마시는 척했다. 그리고 왕비족 진씨가 출신 내위태감을 들어오라고 했다. 늙은 내위태감은 비류왕이 오랜 조사 끝에 알아낸, 왕비 하료의 명을 듣고 비류왕 자신을 항상 감시해오던 사람이요, 비류왕에게 소금으로 건강을 망치게 했던 장본인이었다. 비류왕이 다음 날 양위하면 바로 사직하도록 했다. 다른 사람들은 오래도록 비류왕을 돌본 내위태감이 함께 있고 왕이 다들 물러나라 해서 둘이서 오랜 세월의 회포를 풀고 있다고 생각했다. 그에게 비류왕은 그동안 수고했다고 위로했다. 그리고 독한 어주를 열두 잔이나 연거푸 먹였다. 왕이 내리는 술이라 내위태감은 거절도 못 하고 급히 마셔야 했다. 너무 취해 몸을 가누지 못하게 되었다. 아직도 술상에는 술병들이 많았다. 비류왕은 내위태감과 옷을 바꿔 입었다. 내위태감을 자신의 침대에 엎드려 눕혀 놓았다. 왕관도 신패도 모든 것을 침대 위에 놔두었다.

그리고 기다렸다–

바깥 어둠이 매우 짙어지자 자객들이 들었다. 왕자 여설거의 궁내 사람들이 자객들이 들어오도록 몰래 길을 내고 있었다. 이를 감지한 비류왕은 내위태감 복장으로 침실 비밀통로에 숨어서 보고 있었다. 역시 자객들은 비류왕을 노리고 있었다. 침대 위, 왕의 복장을 하고 엎드려 자고 있던 내위태감의 등 뒤에 칼이 힘차게 꽂혔다. 자객들이 독한 술들을 뿌리고 불을 질렀다. 그리고 도망쳤다. 비류왕이 예상한 대로였다. 불은 일시에 퍼졌다. 비류왕이 소리쳤다. 자객이다! 왕께서 시해당하셨다! 그리 소리치고 비밀통로로 빠져나갔다.

금선탈각지계를 그리 썼다. 비류왕은 이미 오래전부터 자신만의 준비를 해왔다. 육접양화(育蝶揚花). 나비를 길러 꽃을 피우는 병법. 바로 나비가 없으면 꽃가루를 운반할 수 없으므로 식물은 꽃을 피울 수가 없다. 그래서 먼 일로 내다보며 그 일을 해놓은 것이었다.

태자에게 양위 추인을 하루 앞두고 온조계가 일어나고 왕자 여설거가 움직였다. 실상은 왕위 찬탈이었다. 자객이 잠입하고 불이 났다. 여설거다. 왕비족과 귀족들, 그리고 왕자 여설거는 충돌할 것이다. 그 충돌의 기간이 얼마간이든, 또 언제가 되었든지. 이제 비류왕의 진정한 후계가 나타나 자신을 양자로 길러 주고 후견해온 비류왕을 죽이게 한 후안무치한 패륜 왕이 될 여설거를 벌할 수 있도록 미리 장치해둔 것이다. 여구는 하료의 선언으로 명백한 백제의 왕자가 되었고 대륙백제 비류계의 직계 후손이 되었으니 왕가의 정통성이 그에게 있었다. 비류왕은 자신의 목숨을 걸고 그리 꾸민 것이다. 왕은 권력으로 이루어지지 않는다.

나는 믿는다. 그 명분과 사람으로, 내가 네게 준 사람들로 너 스스로 왕이 될 것이다.

비류왕의 목소리가 바로 옆에서 들리는 것 같았다. 왕이 되는 길. 그 길을 여구에게 가르쳐 주고 비류왕은 사라진 것이다. 이러한 비류왕의 계획을 일부라도 아는 사람은 오직 늙은 대천관 신녀 진혜 한 사람뿐이었다.

아차—

싶었다. 진하연은 생각했다. 이제 곧 내일이다. 신통력을 가진 일곱 명의 백제 신녀 후보들이 대천관 신녀가 되기 위해 시험을 본다. 그 시험문제는 왕이 직접 낸다. 그 문제를 생각하는 데… 문득 갑자기 소름이 돋았다. 뭘까… 싶어서… 진하연은 대유현에게 물었다. 살아 있다고 믿고 있었기에 혹시나 싶어서였다. 지금쯤 어디 계실까? 비류왕께서는 지금 어디 계실까? 비류왕에게 한성백제에서 가장 귀한 곳은 어디일까? 그리 물었다. 그러자 대답이 나왔다. 문득, 천기령이네… 뭐 천기령. 왜? 한성백제에서 가장 귀한 곳이라며… 거기가 바로 대승이요, 천기령이네… 아니야? 그래서 아차 했다. 얼른 여구에게 알려야 했다. 내일 어쩌면…

바보다—

그리 생각했다. 여구는 문득 열수 강변을 지나다가 생각했다. 어머니. 그 피가 흘렀을 강물이었다. 그때 어미는 자신을 살리기 위해 도망쳤을 것이다. 배가 산만해진 몸으로 도망을 치다가 자객들의 칼에 맞았을 것이다. 그렇게 자신을 희생해서 여구를 이 세상에 내놓았다. 그런데 이제 아비조차 왕의 모든 것을 버리고, 그렇게 자신을 왕으로 만들려고 한다. 바로 그렇게 깊이 생각하고 있을 때, 눈부신 흰 새 한 마리가 강변을 휘 날아 천기령 쪽으로 향했다. 여구의 눈이 새를 따라가다가 커졌다. 햇살이 비추고 있었다.

있다―

일곱 명의 신녀 후보들에게 문제를 줬다. 계왕이 직접 문제를 가지고 왔다. 계왕은 자신이 가져온 신물을 하나 내놓았다. 그 주인은 지금 어디 있느냐 했다. 일곱의 아이들이 각자 신궁주 진하연에게 귀엣말을 했다. 신궁주는 그것을 받아 적고 계왕에게 주는 역할이다.

천기령이다. 연못가도 있었다. 크게 오른다 했다. 일곱이라 했다. 하늘 아래 제일 귀한 곳도 있었다. 이승 천기령에 못 주변에 있다. 아직 살아 있다. 이런 뜻으로 일곱 중에 다섯이 답을 올렸다. 유현은 하늘 아래 가장 귀한 곳이라 했다.

그것을 모아서 신궁주 진하연이 계왕에게 올려야 했다. 그런데 그럴 수가 없었다. 아직 여구에게 연통되지 않았을 것이다.

이런 난감한 일이…. 신궁주 진하연이 우물쭈물하고 있자 계왕은 의아했다. 아이들의 답을 적어서 자신에게 주면 될 일이었다. 그런데 신궁주 진하연의 표정이 어두웠다. 계왕이 나섰다.

"왜 그러십니까?"
"이게 도무지 뭐가 뭔지 모르겠기에…"

그걸 알면? 안되지. 하고 빙그레 미소를 짓던 계왕은 그 문제의 답들을 보고 고개를 갸웃거렸다. 그 신물. 왕위 계승자만 가질 수 있다. 왕이 어디 있느냐.

바로 앞에 계십니다.

그러면 되는 것이었다. 그게 정답이다. 그런데 천기령이고, 연못가요. 하늘 아래 제일 귀한 곳이라고 했다. 거기에 있다고 했다. 아이들의 답이 틀렸다고 생각했다. 그래서 내일 다시 또 보자고 했다. 기분이 나빠졌다. 비류왕 여호기가 살아 있지 않고서야… 쯧쯧 한심한 것들… 조금 찜찜했다. 자리를 뜨려고 일어서다가 갑자기 한 가지 생각이 번쩍 들었다.

살아 있다―

비류왕 여호기가 살아 있었다. 왕의 신물. 그 주인이 어디 있느냐? 비류왕이다. 그 주인. 비류왕이 살아 있으니 왕위가 계승된 것이 아니다. 영악한 계왕은 비로소 생각이 들었다. 자신과 비류왕이 같이 갔었다. 암행. 왕이 칠용소에서 얼굴을 씻기도 했었다. 그런 천기령. 하늘 아래 가장 귀한 곳. 비류왕이 거기 있다. 그 생각이 떠오르자 소름이 돋았다. 비류왕은 죽지 않았다. 우복을. 흑천주 우복을 또 떠올렸다. 다른 사람들은 다 죽었다고 아는 우복은 살아서 흑천주가 되었다. 자신을 지원하는 최대 세력이다. 어미 하미는 말했다. 분서왕이 아니라 우복이 아비라고 했다. 분서왕은 마흔이 넘어가며 씨가 없었다고 했다. 왕의 아비가 될 신탁을 받은 것은 우복이라 했다. 그 흑천주 우복이 살아서 지금 자신에게 왕의 아비 노릇을 하고 있지 않은가. 왕에게 명령할 수 있는 유일한 백제 국사(國師)가 되어 있지 않은가. 그것이다.

여봐라—

군사를 모으려다. 잠깐. 더 생각했다. 그리고 멈췄다. 안 된다. 비류왕을 아는 자들이 어떤 말을 만들어 낼지 모를 일이었다. 대륙백제의 설리도 있다. 열도에 여구도 있었다. 비류왕을 자신이 해(害)하려 한 것을 백성이 알게 되면 안 될 일이었다. 다른 손을 써야 한다. 급히 흑천주에게 사람을 보냈다. 천기령에 그가 살아 있다. 전하라고 했다. 그리고 조급한 마음이 든 계왕은 자신이 직접 변복을 하고 나섰다.

"비류왕이 살아 있습니다."

흑천주 우복은 대경 질색했다. 도무지 무슨 얘기냐고 했다. 계왕은 아이들의 답을 얘기해주었다. 왜 천기령인지도 설명했다. 연못가는 칠용소 근처인 것 같았다. 크게 오른다. 일곱. 천기령 대승폭포 아래 칠용소다. 그런데 하늘 아래 가장 귀한 곳. 선화가 죽은 곳이니 그럴 것이다. 거기다. 만약 비류왕이 살아 있다면?

이건 또 무슨 변괴인가―

그럴 리 없다고 생각하면서도 흑천주 우복은 또 그럴 수도 있다고 여긴다. 특유의 냉정함을 되찾았다. 비류왕 여호기가 어떤 사람인가. 다른 사람이 생각하지도 못하는 일을 꾸민다. 아, 그렇다. 암호였다. 우복은 일그러진 비웃음을 흘렸다. 비류왕이 자신이 쓴 그 계책을 썼다.

금선탈각지계(金蟬脫殼之計). 자객이 잠입했기에… 어쩌면 그 자객을 발견한 사람도 비류왕이었을 것이다. 그 소란을 틈타 아무도 몰래 빠져나갔을 터였다. 비류왕, 한때 백제 제일자가 아닌가. 무예도 책략도 보통 사람과 달랐다. 어목혼주(魚目混珠)였다. 물고기 눈알과 진주가 비슷해서 혼동을 일으킨다는 뜻이다. 이는 가짜로 진짜를 대신한다는 뜻도 된다. 사실과 유사한 거짓말을 하여 타인을 속이거나 위기를 넘길 때 쓰는 병법이기도 하다. 어서 비류왕을 찾아야 했다. 그래도 다행이다. 아직 한성백제에 있다. 흑천의 전 무사를 동원하기로 했다.

제4 용소다―

유현은 대천관 신녀의 말에 따랐다. 제4 용소인데. 천기령에 두 개의 칠용소가 있는데 그중에 높은 쪽 제4 용소에 있어… 보는 듯이 말해주었다. 그 신물을 겪지 않아도 유현은 알았다. 그렇게 그림이 보였다고 했다. 그렇게 들린다고 했다. 왜 그런지 사람들은 몰랐다. 하지만 유현에게는 다른 이유가 더 있었다. 대해부가 그리 얘기했었다. 마치 한성백제의 천기령 칠용소 중 제4 용소, 그 제단의 생긴 모습까지도 보이듯 대해부에게서 들었던 것이다. 거기가 당연히 비류왕이 있을 곳이었다. 들어가는 길과 방법까지 알려 줄 수 있었다. 그러니 다른 아이들보다 유현은 더 가까운 정답을 얘기할 수도 있었다. 그러나 늙고 병든 대천관 신녀가 당부하고 또 당부했다.

거기가 하늘에서 가장 좋은 명당이라고 했다. 그러니 답은 하늘에서 가장 귀한 곳이라고만 했다. 유현이 이를 거부하다가 늙은 대천관 신녀가 하도 간곡히 말을 하니 그리 얘기한다고 했다. 그 작은 차이가 유현의 미래를 좌우했다. 말하지 않아도 되는 것은 말하지 않는 것이 평생의 한(恨)을 만들지 않는다. 그것이 늙은 대천관 신녀 진혜 가슴 속의 한(恨)이었다. 말해선 안 되는 것을 말한 그 치기가, 그 어린 생각이 대천관 신녀의 한(恨)이었고 아픔이었다. 유현이 그것을 알아들었다. 그 진심을 읽었기에 그리했다. 그것이 여구에게는 아주 작은 틈이었고 기회가 되었다.

흑천의 무사들-

이 백여 명이 우선 달려갔다. 천기령 일대를 전부 포위하기 위해서였다. 진하연은 이미 어제 저녁 왕비족 사람 둘에게 시켜, 아침 일찍부터 말 육십 필을 천기령에 보내게 했다. 천기령에서 열수의 포구 쪽으로 가는 길과 그 동쪽 산길로 가는 곳

입구에 삼십 필씩 각각 보냈다. 그저 거기에 그냥 있으라고 했다. 혹시나 싶었다. 제발 하는 그런 심정이었다.

있었다—

사람이 제4 용소에 있었다. 작은 움막에 겨우 나다닐 수 있는 줄 나무다리를 놓고 한 노인이 그렇게 살고 있었다. 모든 것을 버린 비류왕 여호기다. 여구는 즉시 알아봤다. 자신을 위해 희생한 어미 선화의 돌무덤 곁에 작은 움막을 짓고 백제의 왕이 살고 있었다. 떠돌이 심마니 같은 모습, 그 애틋한 사랑에 여구가 눈물부터 흘렸다. 아버지. 그리 불렀다. 아비도 여구를 알아봤다.

"아들아. 알았구나. 왔구나. 이제 왔어."
"아… 아버지…"
"내가 너와 진작 여기를 왔어야 했는데… 잘 왔다. 여기 네 어미가 있구나. 네 어미가 이리 누워 있구나. 널 알아보지 못해서 미안했다. 네 어미를 지켜주지 못해서도 미안했다. 다시 너를 보내고 또 미안했다. 너를 만나고도 또 너를 알아보지 못해서… 아비를 아비라 부르지 못하게 해서… 그래서 정말 미안했다."

"아버지…"

　사랑하는 여인이 낳은 아들. 그러나 잃었던 그 아들을 찾았다. 그 아들이 드디어 찾아왔다. 여구는 아비와 함께 어미의 돌무덤에 절을 했다. 정식으로 처음이었다. 근자부와 망아, 여강과 함께… 그리고 대해부와도 함께 와서 절을 했다. 아비와 함께 해서야 거기 어미가 묻힌 것을 알고 제대로 절을 했다. 갑자기 슬픔이 가슴을 저미게 했다. 아려온다. 눈물이 저절로 흐리기 시작했다. 그래서 두 사내는 돌무덤에서 울었다. 가슴 아프게 울고 있었다.

　휘익 휘이익 –

　그때였다. 밖에 있던 은자(隱者)들의 비상 신호가 답지했다. 이미 한참 전, 자연은 자연이 아닌 소리를 내고 있었다. 여구가 비류왕을 만나 심기(心氣)가 보통 흐트러진 것이 아니었기에 그 소리를 얼른 알아듣지 못했다.

　추격자들이다–

　칼과 칼이 부딪힌다. 만약 단복이 만들어준 새로운 칼이 아니었다면, 벌써 다 죽었을 것이다. 소서노 모태후의 비기(秘記)는 의외였다. 근자부가 준 소서노 모태후의 숨겨진 비밀은 크게 두 개였다. 하나는 옛 단군왕검의 치세가 담긴 단군총서. 그 안에 숨겨져 있다고 했다. 여구는 읽기 시작했다. 그리고 놀랐다. 그 시절. 수천 년 전 그 시절이 담겨 있었다.

신기한 일은 이 일에 대해 이미 현고도 알고 있었다는 것이 었다. 현고가 흑천의 서고 담당일 때 이미 단군왕검의 치세를 다 샅샅이 읽고 외울 정도가 되었다. 그러나 그 안에 비밀은 찾 지 못했다. 그 얘기를 듣고 자란 여구였다. 처음에 비기의 참뜻, 그 안에 비기가 담겨 있다는 이유를 여구도 알지 못했다. 단지 감동했다. 단군왕검이 하늘의 법도와 땅의 이치를 알려고 했다 는 사실. 더 놀라운 마음은 그 하늘의 법도와 이치대로 이 땅의 사람들을 다스리려 했다는 것이다. 역사 속에서 여구는 어떤 왕 이 되겠다는 생각보다는 어떻게 나라가 다스려지는가를 배웠다. 그리고 비기가 무엇인지 단군총서 첫 책의 중간쯤에 가서야 알 았다.

하늘의 법도. 그대로인 나라. 거기 하늘의 법이 땅의 이치가 있었다. 그것이 바로 비기(秘記)였다. 소서노 모태후는 그것을 보라고 했던 것이다. 하늘의 법도(法道)로, 땅의 이치(理致)로 다스려지는 나라. 그 나라를 꿈꾸라 했다. 거기에 절대무왕의 비결이 있으니 백제를 다스릴 군장들은 단군왕검의 치세를 읽고 또 읽어서 진정한 왕의 길을 찾으라는 것이다. 여구는 감탄한다. 그 단군왕검님들의 내용에. 여구는 진정으로 소서노 모태후의 깊은 뜻에 무릎을 쳤다.

근자부는 또 하나의 비기(秘記)를 풀기 원했다. 동명성왕검이다. 아무 내용이 없었다. 그리고 오직 이 칼 안에 있다고 했다. 뭐가 있을까? 무엇이 이 칼 안에 있어 나라를 세우게 하고 절대무왕이 되게 할 것인가? 답은 뜻밖에 쉬웠다. 그 안에 있다고 했으니 그 안을 보면 되었다. 깨보면 있을 것이다. 무엇으로 깰 것인가? 거기서 답을 얻었다.

단군왕검의 뜻이 동명성왕검에도 담겨 있었다. 기술이다. 신기술. 동명성왕검의 가장 큰 특징은 매우 강한 검이라는 것. 돌도 깰 수 있었다. 연대를 알 수 없는 검이 그리 강하다는 것이 놀라웠다. 그때 아! 철기다. 칼을 만들라 하신 것이었다. 이 칼을 만든 것보다 더 나은 철제기술을 가지라는 것이다. 그 기술을 가지고 우리의 울타리를 굳건히 지킬 수 있게 하라는 것. 그것이다. 그 말을 따라 단복이 동명성왕검을 복제했다. 그 새로운 동명성왕검이 옛날 그 검을 단숨에 부러뜨렸다.

그 방식으로 은자들의 칼이 만들어졌다. 그것이 흑천 무사들을 애타게 했다. 은자(隱者)들의 칼은 대단했다. 흑천 무사들과 은자(隱者)들의 무예 수준은 흑천 무사 셋에 은자(隱者) 하나 정도였다. 그런데도 다섯을, 열을 상대할 수 있는 것은 칼의 차이 때문이었다. 흑천의 칼들이 부러져 나갔다.

여구는 제4 용소를 나와 은자(隱者)들과 함께 활로(活路)를 모색했다. 은자들은 비류왕을 감싸고 길을 내며 빠져나왔다. 앞은 여구가 뚫고 나갔다. 여구의 무예는 극히 단순했다. 단순하지만 대단했다.

원화도법이다-

비류왕도 흑천 무사의 칼을 하나 빼앗아 도움을 주었다. 아무리 병들었어도 한때 백제 제일자 아닌가. 다행히 천기령 제4 용소에서 선화의 곁을 지키며 기력을 채웠다. 마치 도(道)를 닦듯이, 죄업(罪業)을 씻듯이 비류왕 여호기는 선화의 돌무덤에 정화수(井華水)를 떠 놓고 매일 아침과 저녁에 삼천 번의 절을 했다. 그것이 2년을 넘겼다. 근자부와 함께 대륙을 떠돌며 산 생활을 하던 비류왕이었다. 몸도 마음도 그때로 돌아가고 있었다. 몸이 상당히 회복되었다. 다행히 도망치는 데 도움이 되었다.

다행이다―

흑천의 무사들이 이삼백은 족히 넘을 듯 했다. 천기령은 산이 작아도 깊었다. 정확하게 어디에 있는지 알 수 없었다. 조를 나누어 수색했다. 어느 한 곳을 집중해서 길목을 막아야 했다. 흑천 서위는 비류왕을 빼돌릴 것이라면 포구라고 생각했다. 해안에 배를 대놓고 그리 도망을 치는 것이 훨씬 나으리라 판단하여 포구 쪽으로 향하는 천기령에 집중했다. 그러나 뒤늦게 도착한 흑천주 우복은 달랐다. 말들이 있었다. 왕비족 상단 사람들이 말을 가지고 포구 쪽 천기령 입구에 그냥 있었다. 어젯밤 누가 시킨 지도 모르고 말을 가지고 왔다고 했다. 동쪽으로도 비슷하게 갔다고 했다. 흑천 서위에게 포구로 향하는 길목을 지키라 하고, 흑천주 우복은 말을 달려 동쪽으로 향했다. 비류왕을 데리고 가려는 숫자도 예상했다. 삼십 명이 채 안 된다고 보았다.

천기령 쪽에서는 이미 칼 부딪치는 소리와 흑천의 무사들이 보내는, 여호기를 찾았다는 신호들이 속속 들려오고 있었다. 비

류왕 여호기를 빼돌리려는 것을 막을 수 있겠다. 우복은 자신했
다.

萬 많은 것들이
往 가고
萬 수 없는 것들이
來 온다

用 쓰이고
變 변하는 것이
不 아니
動 움직이는
本 근본이다

動 움직이는

　모든 것을 죽여라. 흑천은 모든 것을 걸고 비류왕 여호기를 쫓았다. 무려 이천의 흑천 무사가 천기령 일대를 장악했다. 흑천주 우복은 동쪽으로 향하면서 생각했다. 반드시 이번 기회에 둘 다 죽여야 한다. 참으로 끈질긴 생명력이 아닌가. 비류왕을 살리려 하는 자. 흑천주 우복은 당연히 여구라 믿어 의심치 않았다.

　여구—

계왕인 설거는 그를 잘 안다. 왕자 시절, 태사자의 명을 받아 열도에서 봉직하지 않았는가. 그 임무를 하면서 계왕 설거는 여구를 보았다. 깊이를 알 수 없는… 크기를 짐작할 수 없이 다른 사람이었다. 사람을 끄는 힘이 있었다. 바로 자신이 태자 걸걸에게 연희와 정분이 난 사람으로 소개했었다. 태자 걸걸과 친하게 지내지 못하게 한 것이다. 경계한 것이다. 흡인력이 있는 사람이었다. 비록 천민출신이었지만. 아니라 다를까. 연희는 여구를 귀히 여겼다. 야마다 전체를 걸 정도로 좋아했다. 그래서 더욱 계왕 설거는 여구가 눈이 시리게 보기 싫었었다. 여구가 비류왕의 아들임이 밝혀지자 더욱 대단해 보였다. 그 여구가 비류왕을 구하러 온 것이다. 여구는 그런 놈이다. 그런 놈이기에 더 싫었다.

계왕 설거는 군을 동원해야 하겠다고 생각했다. 전령을 보냈다. 천기령 동쪽으로 간다는 것은 곧 전력을 다해 산을 넘어 내륙을 타고 나주벌로 가겠다는 의도였다. 나주벌로 가는 길에는 한성백제와의 사이에 마한의 남은 세력이 있었다. 국경이 두 개나 있는 셈이다. 그중에서 한성백제군과 나주벌 백제군이 거의 마주하고 있는 해안가 길로 돌아서 들어갈 계획이라고 생각했다. 그 길밖에 없다. 즉 동으로 가다가 남으로 서쪽으로 틀어서 한성백제군의 진영을 돌파해 나주벌로 간다. 길이 먼 것 같지만, 산맥으로 막히고 막힌 나주벌로 가는 지름길이었다. 말을 타고 달린다는 것은 곧 그 길로 간다는 뜻이다. 계왕 설거는 연통을 했다. 급히 어령(御令)을 보냈다. 파발이 움직인다.

자객이다. 막아라-

반란군 일당이 나주벌로 가고 있다. 길을 막아라! 그리 써서 파발을 보냈다. 그러면 여구 일행은 한성백제군에게 막히고 쫓고 있던 자신들을 맞이해야 할 것이었다. 한성백제의 남부 경계 부대는 일만이 넘는 군사가 있었다. 만약의 사태를 예상한 영악하기 그지없는 계왕 설거의 대책이었다. 여구 일행의 앞에 일만의 병사들로 진을 치게 하고, 뒤에서 이천이 넘는 흑천의 무사들이 쫓는다. 진퇴양난(進退兩難)이 아닌가. 계왕은 다 잡은 고기라 여기고 여구의 뒤를 쫓기 시작했다.

달리자-

여구와 비류왕 여호기. 은자 일곱은 뛰고 또 뛰었다. 천기령 동쪽으로 산에서 내려왔다. 오면서 찾았다. 말이 삼십 필 있었다.돌보는 사람이 없었다. 천기령에서 무사들이 싸우는 소리가 나자 묶어놓은 말을 버리고 도망친 것이다. 여구가 우선 말에

오르는데 비류왕 여호기가 말을 모두 데려가자 했다. 여구와 은자들은 그 말뜻을 알아들었다. 아홉은 타고 나머지는 데리고 달렸다. 그것이 작지만 큰 속도의 차이를 만들었다. 무사를 태우고 전력 질주를 한다는 것은 아무리 말이라고 해도 무리다. 사람을 태운 말과 그렇지 않은 말. 그렇게 말을 갈아탈 수 있다는 것은 작지만 큰 차이를 내고 있었다. 적어도 이틀 밤을 꼬박 새우고도 반나절은 더 달려야 했다. 물도 그 아무것도 먹을 수 없었다. 지친 말은 버려졌다. 여구는 은자(隱者) 한 명에게 신호했다. 그 은자(隱者)는 일행에서 떨어져 산으로 향했다. 비류왕은 왜 그런가. 했다.

백제군 파발이 약간 더 빨랐다―

파발은 말이 전력을 다해 질주할 수 있는 거리에 연락 관(館)을 두었다. 말과 연락병이 동시에 교체되어 최단거리를 최고 속도로만 달린다. 그래서 백제군 파발이 여구 일행보다 조금 더 빨리 달리고 있었다.

신호다―

여구는 달리면서도 온통 신경이 다른 것에 가 있는 것 같았

다. 말을 저리 타면 안 되는 데… 라고 비류왕 여호기가 걱정할
정도로 간혹 산을 보고 있었다. 산 정상에 무엇인가 있는 것 같
았다. 아니 기다리는 것이 있는 듯 했다. 그러더니 아! 하고 안
심을 한다. 달리는 말에 박차를 가한다. 여구가 보고 있는 산꼭
대기에서 빛이 번쩍번쩍한다. 저게 뭘까. 뭔데 이렇게 말 위에
서 위험하게… 아차, 비류왕이 말에서 휘청했다. 그만큼 달리는
말에서 무엇인가를 보는 것은 위험한 일이었다. 뭘까? 그런 생
각으로 몸과 마음을 추스르고 전력을 다해 말에게 채찍질했다.
하루를 더 달렸다.

쫓기는 자가 더 불편하다−

길을 개척하면서 나가기 때문이다. 쫓는 자는 그 길을 뒤따라
가기만 하면 된다. 쫓기는 자는 쉬 지친다. 말도 그러하다. 여구
일행의 말이 더 빨리 지치고 있었다. 세 마리 말로도 부족했다.
말이 지치니 더 갈 수 없다. 언덕에서 잠시 쉬기로 했다. 다른
방안이 필요했다. 저기 멀리 파발이 앞서 가는 것이 보였다. 이
제 흑천의 무사들이 곧 도착할 터였다.

파발−

여구의 머리에 그 생각이 스쳤다. 파발이다. 저 파발이 우리를 살린다. 그렇게 생각했다. 흑천의 추격이 맹렬했다.

예상은 어긋나라고 한다―

계왕 설거는 이상했다. 분명히 백제군이 막고 있어야 했다. 그런데 한성백제군은 보이지 않았다. 마한 남은 세력과 저 너머 나주벌 금성의 백제군에 무슨 문제라도 발생한 것처럼 북쪽은 공허했다. 즉 파발을 보낸 대로, 어명(御命)을 지키고 있지 않았다. 파발 여객으로 향했다.

"반란군이 온다!"

그 얘기를 여구 일행이 계속하면서 파발에 도착했다. 한성백제와 나주벌이 매우 급하게 돌아갔다. 여구에게 호패가 있었다. 궁중 출입을 위한 호패였다. 전쟁이라고 했다. 파발 여객 군관은 당황했다. 여구 일행에게 말을 내 주었다. 그래서 여구 일행이 지친 세 번째 말을 버리고, 새 말을 타고 도망칠 수 있게 해 주었다. 연락 관(館), 파발 여객을 따라서 네 번째, 다섯 번째 말을 갈아탔다. 파발이 달리는 길을 여구 일행은 그래서 노렸다. 파발마가 있었다.

다들 어디로 갔단 말인가―

파발 연락 관(館)을 지키던 병사들은 순식간에 당했다. 그것도 칼에 맞아 죽은 것이 아니라 기절해 있었다. 얼떨결에 누군가 접근하자 바로 후다닥 정신없이 당했다. 뭐에 어떻게 당했는지도 모른다. 엄청나게 달려온 여구 일행은 자신들을 막는 파발을 지키는 병사들을 기절시켰다. 그리고 그 파발 여객에서 새로운 말로 갈아탔다. 여구는 여섯 번째 말을 빼앗아 타고 달렸다.

그래서 동쪽이다―

계왕 설거는 그 때문에 분통이 터졌다. 그렇게 백제군의 파발 여객이 오히려 새로운 말을 그냥 제공하거나 빼앗기면서 여구 일행이 마한 남은 세력 진영으로 넘어가게 해버렸다. 이는 전혀 예상하지 못한 일이었다. 대단했다. 이틀 밤 하루 반나절을 열수 강변에서 질주해 말 여섯을 갈아타고 나주벌로 들어가려는 것이다. 흑천주 우복과 계왕 설거는 순간 고민했다. 더 쫓기가 어려웠다. 거리가 상당히 벌어졌다. 아무리 추격에 능한 흑천 무사들이라고 해도 점점 지쳐갔다. 그래도 계왕은 질주를 명했다. 흑천주는 뭔가 이상하다고 했다. 계왕의 고집이 이겼다. 계왕은 벌써 달려가고 있었다.

백제 대군이다―

마한 남은 세력의 경계부대는 이미 물러서 있었다. 한성백제
군과 나주벌 금성 백제군이 포진한 형태였다. 마한 남은 세력의
부대에 비할 수 없는 대군이 금성 백제군 진영에서 올라오고
있었던 것이다. 최소 이만은 넘어 보였다. 다 기병들이었다. 그
줄이 끝이 없었다. 한성백제와 마한, 그리고 나주 금성의 백제
군이 서로 경계하던 삼각지대로 몰려오고 있었다. 마한 남은 세
력의 경계병들이 이를 발견하고 바로 뒤, 산성(山城)으로 다들
후퇴했다. 전쟁의 시기도 아닌데다가 백제군들은 서로 충돌하고
있었다.

대륙백제 일만 병사에 금성의 백제 기마대, 대해부가 열도의
무사들까지 족히 삼만이 가까운 대군이 움직이고 있었다. 불과
하루도 안 되어서. 그랬다. 한성백제 최남단의 부대는 일만이다.
그것도 금성의 군대와 협력할 수 있기에 군조직도 사기도 허술
했다. 그러나 나주벌 백제군은 달랐다. 여구가 한성백제에 오기
전부터 비상 상황이었다. 대륙에서부터 데리고 온 백제 무절랑
일만이 함께 편재되었었다. 은자들이 장군들이 되어 제대로 훈

런시키자 졸지에 강군(強軍)으로 변했다. 모용황이 준 군마들이 기병을 양산할 수 있게 했다. 삼만의 기병은 한성백제 기병 전체에 해당하는 전력이었다. 그런 대군이 북쪽으로 행진하자 한성백제군은 무슨 일인가 싶었다. 그래서 멈추라 했다. 그런데 멈추지 않았다. 그래서 한성백제군과 나주벌 백제군 사이에 적대적인 진영이 펼쳐졌다. 그러는 와중에 바로 계왕의 파발이 도착했다.

반란군—

반란군이었다. 그래서 더욱 움직일 수가 없었다. 자객은 어차피 이리로 온다. 저 백제 반란군을 경계해야 한다. 이런 생각이 앞설 수밖에 없었다.

아, 빛이다—

언덕에서 여구 일행은 말에서 내렸다. 이제 여덟이었다. 떨어져 산으로 간 은자(隱者)는 통신했다. 그가 통신한 것이 산꼭대기들을 타고서 계속 이어지고 있었다. 각 지역에 숨겨놓은 은자(隱者)들이 빛으로 신호를 보냈던 것이다. 백제군이 서로 대치한 모습이 보였다. 연이어 밤새 달린 피로도 느끼지 못했다. 날이 밝아 있었다. 거울을 들었다. 그리고 햇빛을 반사시켰다. 그러자 나주벌 백제군 진영 측에서 빛이 번쩍거렸다. 그것을 보고 비류왕 여호기는 알았다. 여구가 왜 그리 말을 달리면서 산 정상을 보았는지 그 이유를 알게 되었다. 신호였다. 도주로를 예상하고 있었다. 이 길로 이미 예측하고 연락망을 구축해놓았다. 연락방법은 낮에는 태양빛이고 밤에는 불빛이었다. 가장 멀리 가는 방법. 그 번쩍이는 정도, 숫자였다. 일에서 십까지. 빛이 있고 빛이 없는 것. 그 단순한 음양(陰陽)의 원리를 이용해서 통신하고 있었던 것이다. 그래서 연락을 받고 이틀 만에 나주벌 백제군이 진격을 시작한 것이다. 무려 삼만 병사가 진격해오자 한성백제 남부군 일만이 흐트러진 것이다. 쫓기는 와중에 그 혼돈의 상황을 나주벌과 한성백제 사이에 만들어 놓은 것이다.

이제 됐습니다―

여구는 비류왕을 안심시켰다. 이제 더는 계왕 설거가 쫓아오지 못할 것이다. 그리 생각했다. 그리고 길을 나섰다.

그랬다―

더 가면 안 된다. 수성(守成)해야 했다. 그리고 오히려 원군을 불러야 했다. 아니면 진다. 기병들이다. 일만 대 삼만의 싸움은 승부가 불 보듯 훤한 것이었다. 한성백제 남부군 일만이 무너지면, 나주벌 백제군이 한성백제 고마성으로 바로 진격할 것이었다. 한성백제군의 주력군은 현재 동쪽과 북쪽으로 나누어져 있었다. 한성백제 남부군이 무너지면 바로 북진(北進)이다. 그러면 내전이다. 고구려가 호시탐탐 노리고 있는데 내전을 할 수도 없었다. 아니 이미 한성백제 남부는 내전 상태라고 보아야 했다. 그 내전에서 질 수도 있었다. 적이 이토록 강하게 나올 줄 몰랐다. 계왕은 흑천주 우복의 말에 할 수 없이 따랐다.

망연자실(茫然自失)이다─

한성백제 남부군 경계지역으로 밀려오는 나주벌 백제군에게 놀라서 한성백제군이 수성전을 하려고 병력을 이동시키자 진영에 틈이 생겼다. 계왕과 흑천주 우복은 그 틈으로 여구 일행이 들어가는 것을 보고만 있어야 했다.

345년. 연(燕)나라 대칸 모용황은 모용각(慕容恪)을 보내 고구려 남소(南蘇)를 함락시켰다. 대륙의 평화가 다시 깨지고 있었다. 백제는 대륙백제의 좌장이었던 설리가 대방 백제왕을 자청했다. 한성백제의 설거를 인정할 수 없다는 뜻이었다. 설거는 비류왕을 암살하려 했다. 대방은 곧 대륙이었다. 한성백제의 귀족회의에서는 대륙백제와는 물론 나주벌 백제군과도 경계를 단단히 했다. 위기감이 팽배했다. 계왕 설거는 진퇴양난(進退兩難)이 되었다. 특히, 열도의 야마다 세력이 나주벌에 대군을 가지고 있었다. 여구가 새로운 강자로 떠올랐다. 계왕 설거는 이 난국을 타개해야 했다.

"왜 그렇게 하시려고 합니까?"

"바다로 들어간 강물이다. 다시 강으로 되돌아갈 수는 없다. 나는 스승님이 보고 싶다."

"그리 못하십니다."

"내 명을 어기려 하느냐?"

"그게 아니라. 겨우 뵈었습니다. 이제 겨우. 귀류도 보셔야 하고…"

"그래… 나를 애만 보는 늙은이로 만들려고 그러느냐? 이제 너의 시대다. 내가 살아 있으면 너의 시대는 오지 않는다. 계왕은 분명히 내가 살아 있다고 하지 않을 것이다. 대방 백제왕이 된 설리 또한 그럴 것이다. 나 비류왕을 죽였으니… 그들은 패륜이고 찬탈이 된다. 그런 이유로 나는 여전히 죽어 있어야 한다. 숨어야 한다. 그래야 네가 세상에 나설 수 있게 된다. 이제 백제는 삼분되었다. 이제 네가 헤쳐나가야 한다. 이 나주벌을 발판으로 열도를 등에 지고 한성백제와 나아가 대륙백제를 통일시키고… 전 내해(內海)를 아우르는 해상제국. 대백제국의 대왕이 되어라. 초고왕 할아버지의 큰 뜻을 이어 근초고의 시대를 열거라!"

그랬다. 대방과 한성, 열도를 개척한 백제 5대 초고왕의 큰 뜻을 이으라고 했다. 8대 고이왕이 온조계를 대표한다면 초고왕은 비류계를 대표하는 개척 왕이었다. 비류왕 여호기는 여구의 만류를 뿌리치고 망자의 섬으로 스승 근자부를 만나러 가기로 했다. 여구는 여호기와 망자의 섬까지 동행을 청했다.

나주벌을 떠나기 전 비류왕 여호기는 은자 중의 은자 일곱을 불렀다. 천기령에서부터 함께 한 일곱 은자였다. 함께 살았다. 천기령에서 나주벌로 그리고 열도 망자의 섬으로 함께 왔다. 그래서 여호기는 그들에게 여구의 형제를 만들어 주기로 했다.

"너희는 이제 백제의 칠성이 되어라. 어두울 때 방향을 가리켜주는 빛의 별, 북두의 그것처럼. 일곱의 형제가 되어 근초고 북두의 제왕을 보필하라. 이제 너희는 형제다. 비록 같이 태어나지는 않았으나… 한 시에 죽기를 각오하라."

그렇게 여호기는 여구에게 죽음을 넘은 동지들을 형제로 만들어 주었다. 여일(餘日), 여월(餘月), 여수(餘水), 여목(餘木), 여화(餘火), 여토(餘土), 여금(餘金). 일(日), 월(月), 수(水), 목(木), 화(火), 토(土), 금(金)이 서로 상생하여 새로운 힘을 만들어 내듯 그리하여 근초고 시대를 열어라! 그렇게 여호기는 은자들에게도 여구와 함께 꿈을 꾸게 했다.

망자의 섬에서 신선처럼 살리라–

망자의 섬에서는 여전히 옛 단군조선의 치우대들이 훈련하고 있었다. 은자(隱者)들의 후예들이었다. 그런 은자(隱者)들은 천인대의 대형인 여구와 함께 온 비류왕 여호기를 반겼다. 여호기 또한 그들과 함께 하는 것이 좋았다.

마치 꿈인가 했다–

여호기는 스승을 만나러 여구와 함께 은퇴자의 산으로 향했다. 재구가 앞장을 섰다. 폭포 뒤 동굴을 지나 초가(草家)에 도착했다. 아무도 없었다. 세 분 선인들의 종적이 모호했다. 참으로 이상한 일이었다. 초가는 정갈했다. 그러나 먼지가 쌓인 것으로 보아서는 다소 시간이 지난 것 같았다. 여호기와 여구는 아쉬웠다. 여구는 그 세 선인과 함께 한 일 년이 꿈인 듯싶었다. 여구는 근자부가 일러준 대로 새로운 동명성왕검을 가지고 왔다. 스승들이 그리했던 것처럼 단정히 모셨다. 여호기는 자신이 근자부 스승의 뒤를 이을 것이라 했다. 단군총서도 그대로 있었다. 그렇게 은퇴자의 산속 초가는 비어 있었다. 여호기는 가끔 이 초가를 손봐야겠다고 마음먹었다.

이제는 늙은 재구가 망자의 섬에 남기를 희망했다. 여호기가 그러자고 했다. 재구는 여호기를 참 잘 따랐다. 여호기는 망자의 섬에서 새로운 인생을 살기 시작했다.

이제 세상일은 여구, 근초고의 몫이다…

萬 많은 것들이
往 가고
萬 수 없는 것들이
來 온다

用 쓰이고
變 변하는 것이
不 아니
動 움직이는
本 근본이다

本 근본이다

대륙의 대방백제도, 반도의 한성백제도, 열도에서도 근초고
여구에게 새로운 일들이 기다리고 있었다. 새 시대는 그렇게 시
작되고 있었다. 계왕의 즉위 삼 년이 넘어가고 있었다. 한성에
서도, 대륙에서도, 열도에서도 각자 다른 이름의 백제가 준동하
고 있었다.

저 늙은이가―

아무리 신비한 힘을 더 가지고 있다고 해도 이건 너무한다

싶었다. 더는 참을 수 없는 마음이 계왕 설거에게 들었다. 실상은 처음부터다. 왕이 되자마자 그랬다.

계왕 설거는 왕비 하료와 하료의 아들들을 다 죽이려 했다. 그런데 태자 걸걸만 죽이도록 했다. 결국, 왕자 걸서 또한 자신이 직접 베었지만, 흑천주 우복은 그때도 말렸었다. 왕비 하료도 사라졌다. 아마도 우복이 어디에 숨겨 놓았을 것으로 생각했다. 이제 비류왕도 살았으니 곧 한성백제에 파란이 일 것이다. 비류왕이 나타나면 자신의 왕위 계승 명분이 사라진다. 하루빨리 이 상황을 극복해야 했다. 문제는 흑천이었다. 흑천주는 때를 알아야 한다고 했다. 출기제승(出奇制勝). 가장 중요한 것은 때를 잘 헤아리는 것이다. 방심(放心)이야말로 가장 큰 허점이다. 변칙(變則)이야말로 탁월한 승부수다. 모든 전쟁에서 이른바 기(奇)라는 것은 적의 무방비 상태를 공격하고 적의 예상에서 벗어나는 행동을 하는 것이라고 했다. 그렇게 우복은 계왕 설거를 사사건건 가르치려 했다. 왕은 계왕 설거 자신인데 우복은 늘 가르치는 듯 했다. 그것이 계왕은 못마땅했다.

그것이 일거양득(一擧兩得)이다-

성동격서(聲東擊西)를 먼저 쓰기로 한다. 동쪽에서 소리 지르고 서쪽을 공격한다. 계왕 설거와 흑천주 우복은 그 일을 꾸미기 시작한다.

"열도가 아닙니다. 대륙백제에서 온 한성백제의 귀족들을 볼모로 대방 백제왕을 스스로 칭하고 있는 설리에게 반기를 들게 해야 합니다. 그리고 나주벌을 먼저 쳐야 합니다."

계왕의 계획에 또 흑천주 우복이 반대부터 했다. 우복은 대륙백제와 나주벌이 더 먼저라고 했다. 그런데 계왕은 열도라고 하는 것이다.

"신라세력, 가야세력을 연합하면 야마다를 더 쉽게 공격할 수 있습니다. 현재 열도에는 고구려군이 북쪽에서 그 세력을 넓히고 있습니다. 게다가 나주벌에 삼만이 있다는 뜻은 열도 야마다 군대가 왔다는 뜻입니다. 그러니…"
"하오나 우리 한성백제의 뜻을 마음대로 펼치기에는 야마다의 볼모로 잡은 이가 없습니다. 적도 대등하게 싸울 것입니다. 전쟁 상황에 대한 정보도 부족합니다. 여러모로 불리합니다."
"그래서 제게 계책이 있습니다."

계왕은 수년 전부터 열도에 사람들을 심어놨었다. 한성백제에서 파견한 감독관과 무사들은 거의 모두가 계왕 설거의 사람들이었다. 그들로 하여금 찾으라 했다. 비류왕이 있는 곳을 먼저 찾게 했다. 그러던 중에 좋은 소식이 있었다고 했다. 여구는 나주벌에서 한성백제로 진군할 준비를 하고 있었다. 기병 3만과 보병 2만을 편재하기 위해 농민군이 훈련하고 있었다. 추수가 끝나자마자 훈련에 박차를 가했다. 그것이 약점이다. 야마다에는 여구가 없었다. 연희여왕만이 열도를 지키고 있었다. 더욱이 나주벌에서 한성백제와 전쟁을 준비하고 있었다. 열도는 병참기지였다. 그 열도, 여구의 후방을 치는 것이 효과적이었다.

비류왕-

또한 야마다를 공격하면서 비류왕을 먼저 없애야 명분을 확보한다고 했다. 이럴 때 비류왕이 나타나면 큰일이다. 비류왕 여호기가 나타나면 졸지에 계왕은 역모자가 된다. 계왕 설거의 말에도 일리가 있었다. 그러기 위해 모든 정보망을 통해 비류왕 여호기가 있는 곳을 알아내야 했다. 거기. 열도의 야마다가 승부처가 되고 있었다.

찾았다-

흑천의 모든 무사가 준비했다. 한성백제에 있던 흑천의 삼분지 이가 넘는 무사들이 출동했다. 고수는 고수를 알아본다. 그리고 그들은 서로 숨는 방법도 알고 있었다. 망자의 섬을 흑천은 찾고 있었다. 거기 광명천이 있었다. 죽기 전, 현녀는 그곳에 근자부가 있을 것이라 확신하고 있었다. 망자의 섬 입구까지는 알고 있었다. 그 이후가 문제였다.

광명천을 친다―

태초로부터 서로 상극이다. 그래서 또한 그들은 서로 영역을 침범하는 것을 피했다. 서로 칼을 겨누긴 했지만, 전면전도 피했다. 그 전쟁 아닌 전쟁, 수천 년을 이어왔다. 본거지를 치는 것이 얼마 만일까? 아니 광명천의 본거지가 망자의 섬이라고 확신할 수 있을까? 그런 생각이 흑천주 우복에게 들었다. 이번 열도 남행이, 이 바닷길이 낯설면서도 많은 회한에 잠기게 했다.

다 얻었다―

그리 생각했다. 아들 설거가 왕이 되었다. 흑천을 자신이 얻었으니 절대무왕을 만들려 했다. 만들 수 있을 것이라 믿었다.

그러나 뜻대로 안 되었다. 대륙도, 한성백제도, 열도마저도 자신의 의지대로 되지 않았다. 특히, 열도는 더 그랬다. 여구. 그 아비 여호기. 그리고 자신과 계왕. 서로 오랫동안 얽히고 얽혀 왔다.

한성백제를 쳐야 한다—

여구는 흑천의 정보대로 나주벌에서 대군을 일으킬 준비를 하고 있었다. 그러나 갈등했다. 한성백제를 치는 것은 내전(內戰)이다. 문제가 있다. 백제내전은 곧 대륙에서도, 반도에서도, 열도에서도 고구려 연합세력에 가장 득이 된다. 백성이 전쟁 때문에 고통을 받기 시작할 것이다. 이렇게 소모적인 전쟁을 자신이 준비해야 한다는 것에 갈등했다. 그래도 전쟁준비는 해야 했다. 지금은 힘이 있으면서도 싸우지 못하는 척해야 한다. 허약한 듯 위장술로 적의 방심을 유도하여 단숨에 승리를 거두어야 했다. 그러기 위해서는 제일 중요한 것이 나주벌이었다. 한성백제의 근본적인 힘을 분산시키는 데 더 좋은 수는 없었다. 최종목적은 승리다. 그러나 때로는 이쪽의 힘이 아무리 강하다고 해도 싸우지 않고 이기는 것이 최고의 병법이요, 병법의 도(道)가 아닌가. 그러기 위해서는 절대적인 지략이 필요하다. 강이시약(强以示弱). 능력이 우선 있어야 한다.

이번 전쟁에서의 핵심은 믿음이다-

내간책(內間策)이 있다. 첩자를 쓰는 5가지의 방법. 향간(鄕間), 내간(內間), 반간(反間), 사간(死間), 생간(生間)으로 이를 오간책이라 한다. 내간은 적의 관인(官人)을 이용한다. 적진에 첩자를 두면 적의 동태는 물론 허실(虛實)을 조종할 수 있다. 필승의 전략 중 하나라고 할 수 있다. 그 내간 중의 내간. 진하연이 있었다. 진하연은 또 하나 내간 중의 내간을 만들어 냈다. 대유현. 연희의 딸이 천관 신녀 후계자가 되었다. 일곱 명의 기재를 백제 대천관 신녀 진혜는 천관 신녀로 했다. 각 지역을 관장할 것이라 했다. 그리고 그 일곱 중에서 하나를 뽑으라 했다. 우승자는 없었다. 계왕 설거는 우승자를 뽑는 것을 신궁주 진하연과 대천관 신녀에게 위임했다. 이렇듯 한성백제에는 믿을 수 있는 여구의 사람들이 있었다.

진하연의 도움으로 살았다-

나주벌에서 한숨을 쉬고 바로 열도 야마다로 은밀하게 도착한 비류왕 일행은 진하연과 연통이 닿은 은자에게서 들었다. 천관 신녀 후계를 뽑는 최종 시험이 바로 비류왕의 위치를 알게 했다는 것도. 포구로 갈 서쪽과 동쪽에 말을 숨겨 놓은 것도. 이 모두가 진하연과 유현의 기지(奇智)였다. 여구와 비류왕은 하늘의 도우심에 감사했다. 그들의 노고에 눈물이 났다. 그런 의미에서 비류왕 여호기가 망자의 섬으로 들어갈 생각을 하게 되었다. 새로운 시대. 새로운 운명의 흐름이 열리고 있었다. 유현이 자신과 여구를 구하고 있었다. 그것이 천운(天運)의 시작이다. 새 흐름이다. 그렇게 마음먹었다.

흑천 서위에게 특명이 내려졌다. 한성백제에 있는 열도의 첩자들을 다 잡아 주살하라! 흑천 서위는 그 명(命)을 따랐다. 신궁주 진하연을 의심했다. 그러나 신궁주 진하연에 대한 계왕 설거의 신임이 두터웠다. 왕비족이라는 막강한 배경도 있었다. 더구나 요즘 흑천주인 우복 측에 대해 계왕 설거가 못마땅한 기색을 내보이고 있었다. 흑천 서위는 그것을 보고 있었다.

날을 잡아라-

일곱 명의 동녀 천관 신녀들에게 전쟁일자를 잡게 했다. 그 날. 반도들을 칠 것이다. 그러자 알았다. 유현은 계왕 설거의 의도를 알아챘다. 보았다. 들었다. 패륜(悖倫) 역(易)이었다. 그래서 유현은 그렇게 말하지 못했다. 대천관 신녀 진혜가 단단하게 일러놓았다. 대신 그날을 잡아줬다.

백제를 위해서는—

일곱 중의 일곱이 모두 그날이 좋다고 했다. 다만 계왕에게 일실일득(一失一得)이라 했다. 다섯이 그리 말했다. 유현은 일득다실(一得多失)이라고 보았지만, 그냥 일득일실(一得一失)이라 했다. 그날은 누가 뭐래도 백제를 위해서는 좋은 날이었다.

계왕 설거의 계획은 이랬다. 흑천이 망자의 섬을 친다. 공격하는 날을 여구에게 일부러 흘린다. 급한 마음에 여구가 달려올 것이다. 그러면 계왕 설거와 은밀히 준비한 해군을 이끌고 망자의 섬을 완전히 포위한다. 비류왕과 여구를 죽이고 곧 전력을 집중해 야마다로 쳐들어간다. 야마다에서는 이미 백제 무사들이 준동하여 연희여왕을 무력화시킨다. 엄청난 병력을 동원하지 않고도 적의 약점을 교묘하게 이용할 방안이었다. 흑천주 우복도 그 계획에 대해 동의하지 않을 수 없었다. 치밀했다. 적의 약점. 비류왕과 여구, 나아가 야마다의 입장을 아주 잘 계산한 고도의 전략이었다. 상황에 걸맞은 정확한 시점이 그만큼 중요해졌다.

슈욱—

어둠을 가르는 소리에 수부(水夫) 하나가 목숨을 잃었다. 오랜 세월 파악해놓은 광명천 출입을 담당한 옛 단군조선의 선인이었다. 흑천의 무사들이 움직인다. 어둠 속에서. 이번 망자의 섬을 공격하는 일은 밤으로 시작해서 한낮에 끝내야 할 일이었다. 준비는 잘 되었다.

먼저 나주벌이다—

고구려를 경계하던 설귀의 부대 중 일부가 한성백제 남부로 이동한다고 했다. 신라를 경계하던 동쪽 부대 또한 이동을 시작했다. 나주벌을 향해서라고 했다. 나주벌을 긴장하게 했다. 그러자 여구는 간파했다. 성동격서였다. 나주벌을 노리는 척하는 것이었다. 여구는 속으로 설귀의 부대도 신라를 막고 있던 그 부대도 오지 않으리라고 예상했다. 하지만 그렇다고 나주벌을 그냥 비워둘 수는 없었다. 경계는 전력을 기울여야 했다. 묘안이 필요했다.

망자의 섬이다—

그런 생각으로 뱃길을 달려오고 있었다. 어서 가자. 어서! 나주벌에서 그 소식을 받았다. 두 개였다. 한성백제의 수군(水軍)이 열도로 움직인다는 것이고 또 하나는 바로 그날이 적혀 있는 밀지였다. 진하연이었다. 예상이 맞았다. 나주벌로 오던 두 부대는 서로 합쳐 중간지점에서 전쟁 준비만을 할 것이다. 고구려와 신라, 그리고 나주벌을 함께 경계할 것이다. 그래서 동시에 쳐들어오지 못한다고 보는 것이다. 약한 쪽에 지원군으로 보낼 것이다. 이제 급한 불을 꺼야 했다. 아버지가 위험하다. 열도가 위험하다.

야마다는 방비가 되어 있었다. 이미 오래전부터 계왕 설거의 백제 무사들에 대한 회유가 시작되었다. 노회한 대해부가 기력을 다소 찾으면서 백제 무사들을 추리고 있었다. 태자 걸걸의 암살 시점에서 여구와 대해부는 언젠가 열도에 계왕 설거의 공격이 있을 것이라 예상하고 있었다. 그래서 대륙 백제군 1만을 나주벌로 이동시킨 것이었고 대륙에서 모용황 대칸과 거래했던 말, 과하마 3만 필을 열도로 옮겨 놓은 것이다. 기병대. 대해부가 꿈에서도 양성시키고 싶어 했던 그 기병대가 육성되고 있던 것이다. 이를 계왕 설거가 알 리 없었다. 그래서 여구는 가장 큰 문제, 즉 아비를 살리기 위해 달려가고 있었다. 망자의 섬은 천혜의 요새다. 안개가 자주 끼어서 많은 함선이 접근할 수 없었다. 자신이 갈 때까지만 그렇게 기다려 주기를 간절히 원했다.

꼭 버티셔야 합니다―

그믐날. 바로 내일이다. 여구는 저 멀리 망자의 섬을 본다. 흑천의 습격이 있을 것이다. 흑천의 습격. 정보가 흘러들었다. 계왕 설거의 계획은 날짜가 정해져 있었다. 하늘로부터 받은 일시(日時). 이는 한성백제 신궁(神宮)에서 정했다. 틀림없는 정보였다. 이 말을 듣고 나주벌에서 연락선으로 사용하던 빠른 배 열 척을 이끌고 우선 여구가 달려왔다.

야마다 대해부와 연회여왕에게도 쾌선 한 척을 보내 통보했다. 망자의 섬에는 은자(隱者)들이 있었다. 제발 버텨주기만을 고대했다. 자신이 당도할 그때까지만 살아 있어 주기를 바라고, 한숨을 못 자며, 뱃전에서 날이 밝아 오는 망자의 섬을 보고 있었다. 망자의 섬으로 들어가는 시간은 북두의 별이 안개를 뚫고 보이는 날의 밤길이거나, 한낮 안개가 끼지 못하는 태양이 극성한 시간 둘 중 하나이다. 태양이 극성하면 작은 물안개가 끼긴 하나 시야가 열려 그 길이 보이게 된다. 섬들과 암초가 보이게 되는 것이다. 짙은 밤중, 북두칠성이 강하면 해도를 읽을 수 있었다. 그 조건들이 절대적이었다. 이 또한 계왕 설거가 신궁(神

宮)에서 날을 받은 까닭이었다. 그날. 망자의 섬, 천혜의 진법(陳法)이 무너지는 날이다.

칼춤을 춘다—

망자의 섬으로 들어온 흑천의 무사들은 반이나 희생되었다. 섬 입구에서 삼 분의 일을 잃었다. 천오백 명 가운데 오백이 그 길 하나를 열고 죽었다. 그리고 다시 은자(隱者)들의 훈련장이 있던 분지(盆地)에서 오백을 잃었다. 거의 다 죽일 수 있었다. 망자의 섬 안에는 교관들과 훈련을 하는 은자(隱者) 수련생들만이 이백 명 정도가 되었기에 흑천의 무사들을 당해낼 수 없었다. 아무리 천혜의 요새라 하더라도 흑천의 공격을 막기엔 수가 너무 적었다. 이백 대 천. 목숨을 걸고 싸웠지만 역부족이었다. 재구도 망자의 섬에 있던 늑대들도 그 싸움에서 죽었다. 씨를 말리려 하고 있었다. 광명천의 씨를 말리고자 했다. 이제 살생의 현장에는 흑천의 무사들 칠백 명만 남아 있었다.

은자(隱者)들은 그 십 분의 일도 살아 있지 않았다. 그때 비류왕 여호기는 한 사람이 등장하는 것을 보았다. 망자의 섬 곳곳에 숨겨진 암기와 함정이 다 파헤쳐지고, 은자(隱者)들이 거의 다 죽게된 시점에서, 그 사람이 나타났다. 흑천주 우복을 여호기는 알아봤다. 그 변한 모습에서… 누군가 싶은 그 모습에서 아, 우복이다. 흑천주 우복도 여호기를 알아봤다.

죽여야 한다. 죽인다─

그래야 할 사람이다. 둘은 서로. 참으로 오랜 인연이었다. 처음은 무예대전의 적으로. 젊은 날의 벗이자, 의형제로. 절대 권력의 협력자이자 경쟁자로 긴 인연이 있었다. 그렇게 다시 긴 인연의 끝에서 둘은 만났다. 왕과 내신좌평으로 비류왕의 황금시대를 열었던 두 사람이었다. 밖에서는 둘 다 죽은 사람이었다. 그런 두 사람이 다시 서로 죽이기 위해 만났다.

"오랜만입니다."
"역시 살아 있었군."
"왕께서도 살아 있는데… 제가 어찌 죽겠습니까?"
"하긴, 그럴 것으로 생각했네. 내가 궁을 나올 때… 그때야 그대를 읽었네. 설거를 위해 자네는 뒤로 숨은 게야. 왜 그랬나. 설거가 자네에게 무엇인데…?"
"그렇습니다. 왕께서 그러신 것과 같은 이유랍니다."
"역시. 그랬군. 자네는 한 번도 진심이 없었어."
"아닙니다. 다 진심이었습니다. 저는 그것이 진심이고 진실이라 생각했습니다."

"…? 그렇군. 다른 게야. 다른 것이야…"

"그걸 이제야 아셨으니, 그나마 다행입니다. 제 수고를 알아
줄 이가 있었으면 했는데…"

"그 수고는 한 사람만 알면 되는 것이 아닌가?"

"그렇습니까?"

"나는 이제 여한이 없네. 자네와 그 옛날 무예대전에서 겨뤄
보지 못했으니… 이제 마음껏 겨뤄보지 않겠는가."

"물론입니다. 그리해야지요. 제가 비류왕 당신을 위해 한 일
도 많고… 제가 쌓인 것이 많습니다. 왜 내 자리를 당신에게 주
었는지, 하늘을 원망했습니다. 이제 여기서 당신은 죽어야 합니
다."

"나는 모든 것을 각오하고 있네…"

둘은 칼을 겨누었다. 젊은 날 여호기는 하늘 검법을 만들었
다. 하늘 천(天). 두 번의 가로와 좌우 한 번 내려치는 단순한
검법으로 백제 천하 제일자가 되었다. 그 무예. 망자의 섬에서
다시 그 무예의 재미에 푹 빠졌었다. 백제 최고라 하는 태을검
법의 묘미도 깨닫고 있었다. 싸움이 시작되었다. 비류왕 여호기
는 젊은 날 그 시절로 돌아가고 있었다. 흑천주 우복과 긴 겨눔
이 있었다. 우복은 그런 비류왕 여호기를 비웃었다. 흑천주. 그

흑천의 신공은 검법에 있지 않았다. 신공이다. 흑천의 신공은 다른 기(氣)의 사용이었다. 원기(元氣)를 얻어 어둠의 힘을 끌어올린다. 그 힘. 파천의 힘이 다르다. 그 기(氣)를 쓰기 위해 동남 동녀를 희생시켰다. 그 원기를 흡수해 자신만의 흑천신공을 얻었다. 비록 비류왕 여호기가 힘을 되찾고 있었다고는 하나 약했다. 비류왕은 우복의 변화에 놀랐다.

가라—

흑천주 우복은 젊은 날, 책계왕이 일으킨 백제 천하제일 무예대전에서의 일을 평생 잊지 못하고 있었다. 언제나 여호기의 뒤에서 그를 보면서 꼭 넘어서고 싶었다. 흑천주 우복은 오늘 여호기와 목숨을 걸고 칼을 맞댄 이 자리에서 가장 큰 행복을 느끼고 있었다. 우월감이 뿜어져 나오고 있었다. 비류왕은 핍박당했다. 흑천주 우복은 고양이가 쥐를 가지고 놀듯 월등한 힘을 바탕으로 비류왕 여호기를 곤경으로 몰아넣었다. 상처가 너무 깊었다. 여호기는 더 버틸 힘이 없어진다.

"신공을 연마했습니다. 이렇게 당신을 상대하고 죽이기 위해서 힘을 아껴 두었습니다. 어떻습니까?"
"이제… 이제… 그만 해라!"

"뭘 말입니까? 뭘 그만두라 하십니까?"

"네가 나를 이미 죽일 수 있음을 안다. 이제 나를 죽여야 하지 않겠는가? 더는 욕보이지 마라!"

"물론입니다. 죽일 것입니다. 안 죽일 것 같습니까? 아닙니다. 반드시 죽게 할 것입니다. 그러나 그러기 전에 한 가지 해줄 말이 있습니다. 여구가 올 것입니다."

"뭐…. 뭣이라…?"

"아니 올 수도 있습니다. 어젯밤부터 시작된 오늘 습격. 알려주었습니다. 이리로 오라고 했습니다. 물론 계왕도 올 것입니다. 일만의 백제 수군… 그 대군을 이끌고 이리로 올 것입니다. 여기 망자의 섬에서 저와 함께 계왕이 당신과 여구를 죽일 것입니다. 바로 당신 비류왕 여호기. 당신이 그리도 귀히 여기는 그 아들을 여기서 함께 죽일 것입니다."

"이… 놈…!"

"놀라셨습니까? 아니면 같이 죽게 해주니 고마우십니까? 그런데 저는 궁금한 것이 하나 있습니다. 과연 올까요? 이 사지(死地)로… 여구라는 그자는 아마 알 것입니다. 이곳이 함정인 것을 충분히 짐작할 수 있겠지요. 그래서 기대하고 있습니다. 올 것이냐… 저는 온다는 것에 걸었습니다. 왕께서는 어디에 거시겠습니까?"

함정이다. 미끼다. 여구를 잡기 위한 미끼가 되었다. 그래서 날 살려두고 있다. 여구를 잡기 위해.

"그렇습니다. 그러기 위해 살려두고 있는 것입니다. 그 아이. 흥분하면 폭발한다고 했습니다. 이성을 잃는다고 했습니다. 그래서 더욱 살려두고 있습니다."

그 말과 동시에 흑천주 우복은 비류왕의 한쪽 팔을 베어 버렸다. 윽─ 비류왕은 이미 상처가 났던 한쪽 팔로 잘린 팔을 급히 지혈했다. 이제는… 죽을힘도 없었다. 흑천주 우복은 이미 비류왕 여호기의 두 다리 힘줄을 끊었다. 이제 비류왕은 살 수가 없다. 피가 흘러나오고 있었다. 생의 시간이 얼마 없었다. 그렇게 살려둔다. 여구가 올 때까지.

"이제 곧 도착할 것입니다. 당신 아들이… 그리고 나면, 숨어있던 내 아들이, 또 그의 군대가 뒤따라 올 것입니다. 그러면… 당신은 꼭 보아야 합니다. 최종 승자는 누가 될 것인가. 지켜보셔야 합니다. 그렇게 지켜보아야 합니다. 당신 아들이 죽어가는 그 모습을 보아야 합니다. 내… 아…"

멈춰야 했다. 내 아들. 내 아들이 죽는 모습을 보았다. 또 다른 우복의 아들 걸서에 대해 얘기할 뻔했다. 걸서를 설거가 죽이는 것을 보았다. 우복은 그날 이후 참담했다. 그래서 멈췄다. 하료와의 일. 하료와 자신의 아들 걸서. 그 배반의 이야기를 하기가 싫었다. 여호기에게 조금 미안해졌다. 그때였다.

뒤가 소란스러워 졌다-

여호기의 눈이 커졌다. 흑천의 무사들에게 덤벼드는 사람들이 있었다. 한 칠백 명은 되어 보였다. 흑천의 무사들 수준이었다. 그런데 단 하나. 그 맨 앞에 아주 뛰어난 초고수가 있었다. 여구였다. 비류왕의 아들. 여구가 온 것이다. 흑천주 우복은 직감했다. 저자가 여구다. 그를 보면서 작은 미소를 흘린다. 흑천주 우복이 비류왕을 보고 말했다.

"왔군요. 안 왔으면 했을 텐데… 그래도 왔습니다."
"네… 이놈…"
"아차, 왕께서는 안 거셨습니다. 저는 온다고 믿었고요. 왔군요. 그렇습니다. 제 예상이 맞았습니다. 이 전쟁은 아마도 제가 이길 것 같습니다. 곧 빨리 끝내겠습니다."

그랬다. 흑천주 우복은 이제 정리가 될 것으로 생각했다. 여구가 자신과 비류왕 여호기를 발견했다. 그리고 달려오고 있었다. 예상대로다.

앞을 막는 흑천의 무사들이 픽픽 쓰러진다. 대단한 무예다. 여구 하나만이 흑천의 무사를 넘어, 흑천주 우복에게로 달려오고 있었다. 흑천주 우복과 이미 움직일 수 없도록 당한 비류왕 여호기 주변에는 흑천의 무사들 십여 명이 있었다. 우복은 그들에게 눈짓했다.

흑천의 고수들이 여구에게 덤볐다. 우복이 여구의 무예를, 바로 앞에서 살펴보기 위함이었다. 비류왕은 이 상황이 아찔했다. 여구가 함정에 걸렸다. 이 흑천도 감당하기 어려울 텐데… 계왕 설거가 군대를 이끌고 올 것이었다. 그 일은 더욱 깜깜했다.

하늘의 뜻이 진정 이것인가 싶었다—